理系女性の人生設計ガイド

自分を生かす仕事と生き方

大隅典子　大島まり　山本佳世子　著

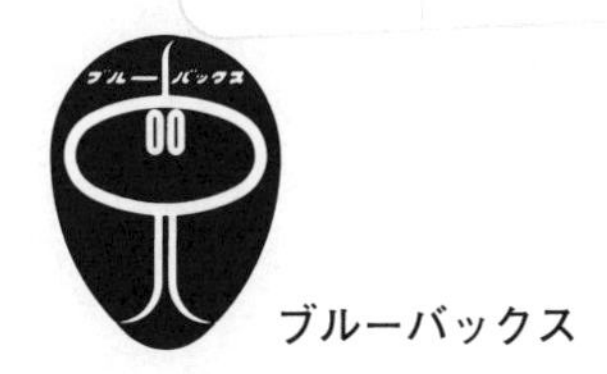

カバー装幀　芦澤泰偉・児崎雅淑
カバーイラスト　立原圭子
本文デザイン　齋藤ひさの
本文イラスト　宮崎典子

【まえがき】

今、女性が社会で活躍することは、特別なことではありません。女性が理系の進路を選び、その学びを生かした仕事で成果をあげていくことも多くなってきています。でも、それは「ようやく」であり、その歴史は浅く、まだまだ少数派でもあります。本書では、そのような理系女性と、それを取り巻く状況をお伝えしていきます。

本書で取り上げる「理系女性」は、たびたび「リケジョ」という言葉を使った説明もしていますが、それについては第Ⅱ部で説明します。「理系女性」「理系女子」「リケジョ」と言い方はいろいろですが、いずれも理系の教育を受けている、または受けた女性を広く指すと考えます。社会人では主に理系の学びを生かした職業に就いている女性を指しています。ずっと理系分野の研究をしてきたわけではないのですが、筆者の私は総合産業新聞の記者で「自称リケジョ」といった意識です。

私はこれまで、記者の仕事を通じて身につけたコミュニケーション力と文理の違いに着目して、研究者向けの『研究費が増やせるメディア活用術』、理系学生向けの『理系のための就活ガイド』（いずれも丸善出版）という本を記してきました。ここに新たな切り口、「女性」を柱の一つに据えた本の必要性を感じ、本書を手掛けることになったのです。

「文・理なんて分けなくていいじゃない」「男女は関係ないよ」と口にする人もいます。ですが私は、双方の典型的な様子を知っているほうが、性的少数者（ＬＧＢＴ）を含むさまざまな人のありようとしての「多様性」（ダイバーシティ）を理解することができると思うのです。

もちろん文理も男女も、その特性に百パーセントよっているわけではありません。個人差が大きいことは大前提です。ただ、ある程度の傾向を知っておくことは、自分の進路や行動を考えるうえで参考になります。

残念ながらまだまだ、男女が同じことをしても同じように受け止められない場合があるのが現実です。そのなかで、起こりがちなことを知っておくと知らないとでは、それを克服したり解決したりするのにかかる時間に、より差が生じるかもしれません。ですから、周囲を客観的にみて、自分を相対的にとらえることは大切です。そこではじめて、たとえ理系女性という少数派であったとしても、思い切った行動に踏み出すことが可能になると私は思うのです。新しい社会は、そういった人々をきっかけに作られていくのです。

本書は、理系女子の進路のための情報本ではありません。日々アップデートされていく情報という面では、書籍はインターネットのスピードにはかなわないでしょう。ただ、その情報の取り方で自分の進む道が大きく変わることがあります。この本に登場する大隅典子さん（東北大学大学院教授）は、情報をどこからどう取り出して自分のものにするか、その力をつけていくことが必要な時代だと言っています。

そういった力をつけるためにも、いろいろな分野の理系女性の生き方を参考にしていただければ幸いです。活躍する理系女性の事例を通して、そのマインドをつかんでもらえればと思います。理系の学びに関心を持ちはじめた中高生から、理系学部で勉強中の大学生や研究にいそしむ大学院生、あるいは社会人として働いたり学んだりしながら、自分のキャリアを模索している女性にも役立てていただけるのではないかと思っています。

本書では、さまざまな分野・立場の理系女性を取り上げています。大学や研究機関の研究者だけでなく、企業で働く女性も、理系の学びを土台に据える「理系女性」ととらえ、その関係者に取材しました。プライベートでも趣味を楽しみながらキャリアを切り開く人、夫の海外での仕事も利用して自分のポジションを見つけていく人、子育てとバランスを取ってキャリアを積んでいく人など、バリエーションはいろいろです。

その中心になるのは、東北大学の副学長も務める大隅典子さんと、東京大学の大島まりさんのお二人です。それぞれ専門はライフサイエンスと機械工学で、違ったカラーの分野です。険しい道を切り開いてきたという凜（りん）とした雰囲気もありながら、柔らかさやおしゃれであることも忘れない、魅力的なお二人です。第Ⅰ部では、ご自分の理系女性としての生き方を、子供のころからの半生を振り返りながら語っていただきました。第Ⅲ部では両者による対談を通して、山あり谷ありで豊かな理系女性の生き方や、これからのリケジョのあり方などについて、具体的にお伝えしていきます。

その間の第Ⅱ部では、理系女性とそれを取り巻く社会の状況など、リケジョになり始める時期の中高生、学びの一番の土台となる大学の学部生・大学院修士課程学生が知っておくといいと思われることなどを、記していきます。さらにキャリアで要となる博士課程学生と、大学の研究者や企業の技術者としての若手社会人の様子や、社会の中心で活躍するリーダー的な立場の理系女性の姿も紹介します。

2020年、新型コロナウイルス感染症の拡大は、私たちの身近な生活から世界各国の状況まで一変させる、大変なできごととなりました。当たり前に動いていた社会の活動がストップするなかで、だれもが「本当に大切なものとは、何なのか」を真剣に考えるようになりました。

新型コロナの登場によって、社会は新常態（ニューノーマル）に移りつつあります。大学の学びがオンライン授業と対面を組み合わせて、より質を高められたり、実験や調査の研究活動が遠隔で進められるようになったり、子育て中でもオンラインで国際会議に出席できたり、企業の長時間労働が改善されたり……。こういった変化は、今後も起こっていくことでしょう。これは理系女性にとってもまたとないチャンス！　そう前向きにとらえて、新たな社会を皆で構築していきましょう。この本が、迷いながら進んでいくリケジョの背中を押す一助となれば幸いです。

2021年4月

山本佳世子

理系女性の人生設計ガイド●もくじ

第6章 理系の研究と学び方 167

第I部

先輩理系女性たちが歩んできた道

第Ⅰ部では、先輩リケジョが理系の道を究めるまでのさまざまな体験をご紹介します。トップクラスの研究者でもある、東北大学大学院教授の大隅典子さん、東京大学教授の大島まりさんは、憧れの存在ではありますが、とても気さくなお二人で、本音に迫るお話を聞くことができました。トップを目指さなくても、また研究者の道は考えていないという人でも、また理系ではない人にとっても、仕事を選んでいくうえでの悩みとそれをどう乗り越えていくか、参考になるお話がたくさんあります。また、最後に少し、日刊工業新聞という専門紙の論説委員であり、社会人で博士号を取得した私の経験も加えたいと思いますので、こんなリケジョもありかな、と思って読んでいただければと思います。

詳しいプロフィールは257ページにありますが、1人目の大隅さんは、1985年東京医科歯科大学歯学部を卒業され、同大学院を修了。同大学、国立精神・神経センター（現・国立精神・神経医療研究センター）神経研究所室長などを経て、1998年より東北大学大学院教授となり、2018年より副学長を務められています。東北大学では、サイエンス・エンジェルという東北大学の自然科学系女子大学院生たちが、次世代の研究者をめざす中高生に科学の楽しさを発信する活動があるのですが、そのあたりのお話もお聞きしました。

2人目の大島さんは、1984年に、当時は1学年160人に女子4人、クラス40人に女子1人だったという、筑波大学第三学群基礎工学類を卒業され、東京大学大学院修了後、東京大学生産技術研究所に入り、２００５年より教授を務められています。また、次世代育成オフィス「ONG」という組織を立ち上げ、企業と連携して小中高校で「出前授業」をしたり、オープンキャンパスで体験の場を作るなどの活動もしています。専門は「バイオ・マイクロ流体工学」。何やら聞き慣れない分野ですが、その研究内容も紹介してもらいました。

第１章
研究者へと導いてくれた、多様なロールモデル

東北大学副学長、教授
大隅典子

脳の神経幹細胞は、新生児にも大人にも重要なもの

皆さん、こんにちは！　初めまして、大隅典子です。理系女子、理系女性支援の活動や施策に

ついて、原稿を執筆する機会がしばしばありますが、今回は私の半生をまとめてご紹介します。先輩リケジョの一つのモデルとして、皆さんの進路やキャリアを考える手立てにしてもらえればいいなと思っています。

最初に私の研究テーマについてお話ししましょう。ヒトの発生の受精卵から脳が作られていく過程で、「神経幹細胞」と呼ばれるとても重要な細胞があります。分裂して同じ神経幹細胞を増やすと同時に、脳でさまざまな機能を持つ多様な細胞にも分裂していきます。私が扱っている「Ｐａｘ６」（パックスシックス）という遺伝子は、この神経幹細胞の活動をチェックして、適切に機能するようコントロールする働きがあります。

神経幹細胞は新生児の脳を作り出すうえで非常に重要なだけでなく、大人になっても記憶にかかわる脳の「海馬（かいば）」という部分と関係しています。そのため新たな神経細胞がうまく生み出されないと、精神的な病気になりやすいと考えられます。また高齢になってからの認知症や、記憶障害などとの関係も注目されています。私たちは動物を使った実験によって、これらの遺伝子の働きと神経細胞の生成、それらのコントロールと病気のかかわりなどを研究しています。

大学という組織においては副学長として、男女共同参画や広報を担当しています。女性研究者がその力を十分に発揮できる環境づくりで私が活動を本格化したのは、２００６年に男女共同参画の総長特別補佐になったのがきっかけで、もう長くかかわっています。一番の自慢は女子大学院生による、女子中高生の理系進学を後押しするための「サイエンス・エンジェル」という活動です。理系女性の卵のための、理系女性によるアクティビティー、といいましょうか。それを年長理系女性の私たちが見守っている形です。後に改めて述べますが、新型コロナウイルス感染症で活動が制限されるということもあるなかで、それを逆手にとって、大学院生自身から企画が出されるようになり、自主性が出てきたことを、ちょっと嬉しく思っています。大学院生を中心に据えているのがポイントで、全国各地の大学でこのノウハウを共有してもらい、広がったら素敵だなあと思い描いています。

理系でも役立った、小中学生でつけた英語力と国語力

それでは私の歩みに話を進めましょう。私は神奈川県の逗子市で18歳まで育ちました。父は農林水産省系の研究機関「遠洋水産研究所（現・国際水産資源研究所）」でイルカやクジラを、母は日本女子大学で酵母菌を、それぞれ研究していました。今もそうですが、「女性研究者の結婚相手は、同じ職業の研究者」というケースがとても多いです。そもそもの出会いが学生時代の研究室においてだったり、研究分野や参加学会が重なっていたりするカップルは少なくありません。ですから、両親の時代はまだ女性が少なかったものの、私の家庭もそう特別な形ではないの

です。

母は通勤時間が長かったこともあり、同居していた祖父母が私の世話をしてくれました。高齢の祖父母の負担にならないようにと、ピアノや絵など習い事を多くしていました。本も好きでした。一人っ子で大人に囲まれていたので、大人びていたようで、小学生のときには「問題集をここまで仕上げたら、この本を読むことにしよう」といった具合に時間を管理して、自分をマネジメントできていたというしっかりものでした（笑）。

父と会話すると「それはどういうことかな」「定義を言ってごらん」といった質問をされて、それで理屈っぽい子に育った面もあります。父親としては、理系に進んでほしいという気持ちもあったのではないでしょうか。また、中学生くらいになると母が書いた英語の論文の下書きを渡されて、「文法をちょっとチェックしてみてね」と言われることもありました。だから私は「英語は論文を書くためにあるんだ」と理解していました。両親は学会へ出席することが年に何回かあって、海外にも行っている。まだ海外旅行が一般的ではない時代でしたから、「研究者っていいかも」なんて思っていました。

中学は横浜国立大学教育学部附属の鎌倉中学校です。教育学部附属ということで、新しい教育学における新しい手法を実践する傾向があったようです。なかでも国語の先生の授業に惹き付けられました。長い文章の要旨を作るのには2つの方法がある、と。一つは「大事と思う部分に下線を引いて、それをまとめる方法」です。それとともに「大事ではないと思う部分には別の色で下線を引いて、それを削除してしまう方法」もあるというのです。おもしろいでしょう。そうそう、自分で物語をつくって、まんがタッチの挿絵を入れるなんてこともしていました。

手紙（リアルな手紙。今の電子メールとは違いますね）を書いて互いに送りあう、文通もしていました。当時はけっこうはやっていました。今ならスマートフォンで短文のやりとりをする「ＬＩＮＥ」に相当するのかもしれません。物事をよく考えて、ある程度の長さの文章を書く訓練として、手紙はよかったかもしれません。ＬＩＮＥではあまり培（つちか）われない能力かと思います。理系の職業に就くにしても、周囲に何かを伝えるときは必ず言葉を使います。ですからまず、論理的な文章を書く力をつけておくことは大切なこと。理系に進むとしても、国語や英語の学びを大切にしてほしいと思います。

生まれ変わったらきっと、研究者にはならない

研究者って、ずっと「一筋」っていうイメージがあるかもしれません。「生まれ変わってもやっぱり、研究者にまたなりたい」という人も、確かにいます。でも私は実は、逆のタイプ。中高生時代にいくつもの職業に憧れましたから。建築家だったり、アナウンサーだったり。女性雑誌

の「an・an」や「non-no」が創刊されたころだったので、ビジュアル重視の雑誌編集者もいいなあって思いました。あと、料亭の女将（おかみ）さんもかっこいいなって思いました。なんでもこなして全体をつくっていくことが魅力的で、総合プロデューサーに憧れたのだなと今でも思います。

高校は東京学芸大学附属高校に進みました。文化祭の委員をしたのが思い出です。開催日というゴールが決まっていて、出し物のスケジュールを固めて、それまでに何をどう進めていくのかを考えながら、多くの仕事を並行して進めます。配布物を作成して印刷したり、当日はどうしても騒がしくなるので、事前に近所にご挨拶にまわったり、商店街のお店に広告をもらいに行ったり。私、「自分はヒロイン、常にスポットライトを浴びていたい」というより、そういった盛り上がる場を目指して段取りを考えていく、プロデューサー的な仕事が向いているのです。研究者でいうと「プロジェクトリーダー」でしょうか。いずれにせよ、何をしても、大人になっていくうえでその経験は生かされますから、「受験にはこれ」ということをやっているだけではない高校生活をおすすめします。好きなことに一生懸命に取り組める場を、大切にしてほしいと思います。

それから私は、「迷ったら周囲と逆のことを選ぶ」というあまのじゃくなところがありました。中学から高校へ進学するときも、「みんながあの高校を狙うのだから、私はこっちの高校へ」といった具合でした。常に少数派、マイノリティーです。それが向くかどうかは性格にもよりますが、私にはよかったのでしょう。同じ土俵で皆と戦わなくてよいのですから。結果的に、理系で女性という少数派の道を邁進（まいしん）することになり、やっぱりあまのじゃくだったんでしょうね。

高校の学びでは理系科目だけでなく、文系科目の言語学や心理学にも関心を持ちました。そのなかで進路として理系を選んだのは、「文系より選択肢が広いのでは」と思ったからです。医師も考えたのですが、人の生死にかかわるほどメンタル面が強くないから難しいなと判断し、東京医科歯科大学の歯学部に進みました。「受験のための勉強は嫌い、なんとかさっと現役で合格したい」という気持ちも強くて。今の自分につながるのですが、当時から効率重視で、合理的な判断をしながら、受験を乗り切りました。

選んだ研究分野は性格的にも合っていた

中学・高校では男女半々だったのが、大学に入ったら女子が1割という環境に、大きく変わりました。女子が少ないと目立って、とりたてて主張をしなくても、たいしたことをしていなくても、ある程度まで周囲が立ててくれるようなところもあります。一方で多数派の男子は、競争を勝ち抜いていく必要性を早くから実感させられるのではないでしょうか。そんなことを客観的に見られるようになったのは、ずっと後になってのことでしたが。

歯学部の学びには歯科医師養成に向けた、職業訓練校的な面があります。例えば、歯の模型を手本にして、3次元的な特徴をよく理解したうえで、同じ形を彫り出していく歯型彫刻という演習科目があります。私は絵の教室も子供のころに通ったし、中学生のときに色の三原色など美術的な知識もつけたし、歯型彫刻を手掛ける前には自信がありました。ところが同級生には、私よりずっと上手に、無理なく自然体で仕上げられる人がいたのです。それを目の当たりにしてショックを受けました。まあ、まだ学びの途中段階ですし、将来は歯科医として10年くらいはがんばれるだろう。でもその先はどうだろうか。患者さんを相手にした臨床現場で力を伸ばしていけるだろうか……。自分には限界があると感じました。「歯科医ではなくて、医学系の研究者を考えてみようか」と思ったのは、そんな背景もあったからです。

そして大学院進学を考えるようになり、研究室をどうしようかといろいろな人に相談したり、研究室を訪問したりしました。そのときになんと「我々の研究室では、女子学生は採りません」といくつものところで言われてしまったのです。そんな男女差別的な言葉を露骨に口にするなんて、今の時代には考えられませんよね。ただ、今でこそ医学部や歯学部の女子学生は4割程度にまで増えましたが、当時はまったくの少数派でした。結婚してキャリアをストップさせる女性も実際多かったのですから、嫌がられたのもわからなくはないです。医学・歯学系は大学の他分野より組織としての力が強く、上下関係もはっきりとしていて、このようにやや理不尽なこともまかり通ってしまうこともある環境でした。

「大学院重点化」という国の施策が１９９０年代にあり、大学院の定員が大幅増になったのですが、当時はまだその前。大学院に進む人は、男性でもよほど根性のある人に限られていました。だから、「女の大学院生？　冗談じゃないよ」という研究室が多かったのだと思います。

結局、サークル活動で私が所属していたテニス部の顧問でもあった、江藤一洋教授（現・名誉教授）のところに決めました。分子発生学の研究室です（当時は、顎顔面発生機構研究部門）。受精卵から胎児が育っていく過程における、顔の発生を大きなテーマとする研究室でした。

私は時間とともに変わっていくものが好きなんですよ。中学生のころに、私の生まれの星座「射手座」は「スピード、変化、自由の星」だと知って、嬉しくなりました。その意味で、この分野を選んだのも、自分に向いていたと思いますし、別のテーマであれば加齢や進化なども、時間の変化がターゲットになるという点で向いていたかな、などと想像します。

大学院で経験した挫折と涙

ところが大学院に入ってすぐ、挫折感を味わいました。大学生のときに想像していたのと全然違っていたのです。つまり「研究をどう進めるのか」ということを「教えて」もらえなかったのです。

先に大学院の課程を説明しましょう。大学では理学や工学など一般的には学部の学士課程が4年間です。大学院は「博士課程前期」2年間と、「博士課程後期」3年間で構成されています。前期と後期を続けて修めることで博士号取得となります。ところが日本では、博士課程前期だけで企業などへ就職するという形が多く、その場合は「修士課程」という表現もします。経験者は「大学院といっても修士課程と博士課程（ここでは博士課程後期を指す）とは全然、苦しさが違う」と皆、口にします。ですが研究者の世界を別にすれば、実社会で「大学院を出ている」というと修士卒が大半ですので、博士課程の大変さはあまり知られていません。

これに対して、薬学や獣医学の一部と医学、歯学などは国家資格とつながる学びのため、学士課程が6年間と長く、大学院は4年間の博士課程のみです。つまり大学院は最初から博士号の取得を前提とする厳しいものでした。当時は「学部の延長に大学院がある」と漠然と思っていましたが、博士号というのはその認識ですむようなものではなかったのです。甘かった、と当時を振り返って思います。

博士課程1年生になってまず、「自分の研究テーマを自分で考えなさい」と言われて、図書館の文献などをめくってみますが、当然ながらたいしたアイデアは浮かびません。私は「研究、やるぞ！」とやる気にはあふれていましたが、研究とはどんなものか、正直わかっていませんでした。そこに少し上の先輩が「このテーマ、やってみたら」と提案してくれて、それにパクッと食いついた形になりました。でも、思うような成果が出ないまま1年たって……。学会発表を1つしましたが、こんなペースではとても標準とされる4年間での博士号取得はかないません。学費を親に出してもらっている以上、4年間で仕上げたいと思いました。

指導の担当教授には改めて「自分の研究テーマを、本気で考えなさい」と言われました。でも、大学生の卒業研究ではないので、「このように調べて、このように絞っていけばいいんですよ」とまでは教えてくれません。それが大学院。研究テーマはどのように見つけるものなのか、ということを自分自身で体得する。そして重要なデータを出して、複数の論文を発表して認められて初めて、学位にたどり着くものなのです。

ちなみにここで「学位」というのは、博士号のことです。本来の言葉の定義としては、学部卒の学士号や、修士課程修了の修士号も指すのですが、話し言葉では博士号を指しています。なぜって、それだけ極端に難しいからです。おしゃべりの中で「学位」という言葉が出てきたら、それは一般的な学士号や修士号ではなくて、取得できずに苦しむ人も多い、でも一人前の研究者になるうえでどうしても必要な「博士号」を意味するのです。

そのころは研究室全体でのゼミも苦しかったですね。自身の研究の進捗（しんちょく）状況と絡めて、先進の研究論文の紹介もする場です。自分で決めたテーマについての発表に対して、くだんの先輩から「そんなのは10年前のテーマだ」と批判され、「でも私はとにかく学位がほしい。そのための戦略を考えることも大事だ」と主張して、口げんかになったりもしました。同じ研究室の仲間から突っ込みがくることは、自由な議論をする場として本来は望ましいこと。訓練の場ですから当然ではあるのですが、思わず涙がこぼれてしまうこともありました。予想外の厳しい局面に立つ経験が不足していて、鍛えが足りなかったのです。ちなみに、私の考えでは、人前で泣くのは学生時代までと思っています。社会人になると、弱さを見せるようなことは好ましくないと思います。

親が研究者ということは、良かった面もありますが、プレッシャーにもなりました。父は、クジラの耳あかを使って年齢を推定するというテーマで、博士号を取りました。クジラの耳あかの溜まり具合には、えさの量の季節による変化が関係していて、繰り返すと木の年輪のような模様ができる、ということを明らかにしたのです。研究者以外の普通の人にも「そうなんだ！」と驚いて関心を持ってもらえる、そんなおもしろいテーマで研究者の第一歩を踏み出した。そんな父を思うと「私の研究テーマはなんてつまらないのか」とがっかりです。でもまずはとにかく学位を取得すること。研究者になるために、最初から欲張らなくていい、と考え直すしかありませんでした。

学会を最大限に利用

研究は本来「テーマを与えられて、それに従ってするもの」ではないのです。小さくてもよいから他にはない自分独自のテーマを見つけて、基本は一人で取り組むものなのです。研究室の何十年にもわたる歴史というのは、その独自性が生まれてくる土台として機能しているのです。

ただ、私の研究室は歴史が浅く、ボス、つまり研究室主宰者で上司に位置づけられる指導教員も、臨床医としてのキャリアが中心で、基礎系の研究室運営にはうとい面がありました。研究室のメンバーも少なかったですし。一方でラボ（研究室）が大きいと、学生はその組織の歯車の一つになってしまいます。それはそれで安心できて満足する人もいるのですが、小さい研究室こそ自分の経験値をぐっと上げられるという面もあります。結果論かもしれませんが、「人と違うことをしたい」と思うなら、小規模の研究室をすすめたいなと思います。

あれは大学院4年生になる春のこと。ある学会で、日本での導入が初の事例となる技術についてという、ものすごく聞きたい発表の講演と、自分の研究発表が重なってしまったのです。自分の発表を終えて大急ぎで駆けつけて「出待ち」をしました（私の研究にとって大切な、スターのような講演者という意味で、出待ちという言葉がぴったりですね）。「発表を聞けずに本当に申し訳ありません」と謝りつつも、「なんとか講演内容を少し聞かせてほしい」と必死でした。講演者は嫌な顔をせずに、当時の発表資料である35㎜のスライドを見せて説明してくれました。私は興奮して、「この技術でぜひ、観察してみたいものがあります！」と、初対面ながら押しの一手でした。

これが幸いしてその後、研究室のボスの了解をとって、この講演者と共同研究を始めることになりました。当時は岡山大学の助手、今は徳島大学の学長を務める野地澄晴（のじすみはれ）先生が、その人でした。遠距離恋愛ならぬ、「遠距離コラボ（レーション）」です。私は調べたい生物試料の切片を作製して、東京から岡山まで持参したり、宅配便で送ったり。観察や解析など、なるべく自分で手掛けて、どうしてもできない部分だけ岡山大にお願いしました。

　学会で、自分のネットワークを強化することはとても重要なことです。私はこの経験もあって、かなり意識的に動きました。「学会は、質問をしに行くところだ」というユニークな定義を耳にして、なるほどと思ったものです。男性ばかりの中では、女性はすぐに覚えてもらえるでしょう？　私が「東京医科歯科大の大隅です」と名乗って、皆の前で質問することを繰り返していると、「やたら質問する大隅さんっているよね」とその専門分野で名前も存在も浸透していきます。外とのかかわりを強化するうえでは、もってこいの方法です。

　そのために「どうやるか」には頭をひねりました。学会会場は、発表資料の投影のために薄暗くなっているものです。だから発表の進行で采配を振るう座長から、よく見える位置に座るのが第一歩です。なおかつ、マイクのそばの席。マイクから距離があると、何人かの人の間を縫うようにして前に進み出なくてはいけない。となるとどうしても、おっくうになりますから。

　それから質問の際の挙手はなるべく早く。後になると、別の人が同じ内容を聞いてしまい、自分の出番がなくなってしまうから。目立つということは「あのテーマが得意なあの人」と皆の頭にインプットされるということ。よくも悪くも、目印となるラベルが付く。これは今なお少数派の理系女性は、大いに活用すべきことだと思います。

世界最先端の研究を実感するワクワク感

博士課程を無事修了し、博士号を取得して学生生活は終了。幸いにもそのまま同じ研究室で助手、今でいう助教として働く形で社会人になりました。空いたポストに対し、候補だった人が開業歯科医になると決めたために、お鉢が回ってきたというラッキーに恵まれました。

研究を人生の中心に据えてずっとやっていきたいという気持ちは、固まっていきました。研究を進めるなかで、先の野地先生との共著論文で、「世界と伍して研究をする」ということを味わったのが、大きな経験となりました。最先端かつ注目の研究で、フランスなど他の研究グループと競っていました。フランスのライバルグループは、いち早くではないけれどブランド力のある著名論文雑誌に掲載するらしいとわかったので、私たちは「論文雑誌のブランド力は今一つでも、とにかく一番早く論文にする」という戦略を取りました。

研究の世界最先端という場を実感するワクワク感は、他で言い表すことができない素敵なもの。研究者としての醍醐味です。「ああ、これはスピード、変化、自由を愛する私にぴったりの職業だ」と実感しました。もし歯科の開業医になっていたら、9時から5時までの仕事で時間に余裕があり、かつ収入も高かったかもしれません。だけど私には向いていなかったな、と改めて思います。世界と戦う刺激を、多少の苦労をしてでも、もっと味わいたい、とより強い刺激を求めてしまう性分のようです。

一方、次の進展を模索するようになったのも、助手になって数年たったころのことでした。他大学の研究者で私より少し長いキャリアの男性に「今の研究室に、いつまでいるつもりなの」と尋ねられて、はたと立ち止まりました。研究室のボスが定年退職するころ、自分は40代半ばです。そのとき、自分はどうなるのか、と。その人には「もう十分、奉公したでしょう。自分自身の仕事を確立していかなくて、いいの？」と重ねて言われました。

私はそれまで、ボスに「この研究室でやっていっていいよ」と言ってもらい、少額でも研究費を確保してコツコツと研究を続けることで、何の問題もないと思っていました。でも、研究室を率いる主宰者のボスがいなくなった後は、どうなってしまうのか。別の実力ある研究者が部下を引き連れて、この大学にやってくるかもしれない。そのときに私は、路頭に迷うかもしれない……。「研究室を主宰する立場にならなければ、だめなんだ」と初めて気づきました。

若いころからそういう立場を意識している人もいれば、そういったことよりは「好きな研究を続けられれば、それでいい」と考える人もいます。もちろん幸せの形は人それぞれ。家庭の事情も一筋縄でいかない。けれども、自分にとって「どういう立ち位置が本当にハッピーなのか」「自分の研究者人生は輝いているのか？」と、あらためて考える時間は絶対に必要なのだと思います。

公私の転機が一度にやってきた

プライベートな事柄も少しお話ししましょう。結婚は27歳、相手は大学の同じ学部、同じテニス部の先輩でした。夫の仕事は大学の臨床歯科医とあって理解しやすいですし、好きになった人だからうまくいくと信じていました。ですが、結婚は本人同士だけの問題ではない面が、残念ながらあります。夫の実家は伝統を重視するきちんとした家で、私のようなはっちゃけた、騒がしい妻ではなかなか、期待にそうことができなくて。子供を授からなかったこともあって34歳で離婚しました。

一方、仕事では助手になって8年目で国立精神・神経センター（当時）神経研究所（以下、神経センター）の室長に職を替えました。研究者のままですが、いわゆる転職です。室長なので、大学でいうと准教授の下、講師の上くらいの位置になります。学生時代からずっと過ごしてきた東京医科歯科大の職を捨てたのか、などと周囲のうわさになったようです。離婚のこともあって、気の毒にと思われていたようです。実際、職場の多くの人が元夫のことを知っていて、私も居心地悪く思っていました。

でも公私とも転機が一度に来てしまったのは、結果的によかったのだと思います。「大隅は、研究者の人材市場に出ていきます」「独身なので、よい研究環境があれば、遠方への転居も問題ありません」と、周囲に宣言することになりましたから。

神経センターで、医科歯科大時代の最後に温めていた研究テーマに着手しました。医科歯科大では恩師である指導教員の研究対象の「顔の発生」にかかわってきましたが、これを新たに自分のテーマとして「神経の発生」にシフトさせたのです。医科歯科大で研究対象として出会った「Ｐａｘ６」という遺伝子で、これが顔だけでなく脳の形成にも重要な役割を果たしていることが、明らかになりつつあったためです。「研究対象を少しスライドさせて、神経センターらしい研究でがんばります！」という意思表示が、受け入れられたわけです。

ちょうど神経発生の分野が活性化していて、私自身の研究者としてのアイデンティティーを確立する時期に重なったのです。このＰａｘ６の機能解明は、それ以後の研究に続く私の主要なテーマとなりました。研究者の能力として、その研究分野で何がはやっているのか、社会は何を期待しているのかといったトレンドをいち早く感じ取ることも、望ましいことの一つです。

加えて「全胚培養法」という少し特殊な研究手法を身につけていたのが、私の強みになりました。自分の得意なスキルを確立して「あの技術ならあの人」と覚えてもらう。研究の目の付けどころやスキルに特色があって、魅力的であれば、共同研究の誘いなどさまざまなものが、向こうからやってきます。

研究競争が激烈な分野でライバルに伍して生き残ることは、多数派の男性であっても並大抵ではありません。でも無理をして最初からそういう環境に入っていかなくても大丈夫。小さくても独自のテーマで、「あの人の研究はユニークで優れている」と周囲からみなされれば強みになります。研究者人口の少ない分野のほうが、生き残る可能性が高いかもしれません。研究者として、職業人として、自分にとって大事な、自分だけの部分を見つけ出して発展させる意識を大切にしていきましょう。

30代で東北大学医学部初の女性教授に

「研究者には流動性が大事だ」とよくいわれます。これは、所属する研究機関をいくつか渡り歩いて流動性を維持することで、一ヵ所で固定して特定の研究をし続けているのとは違う成長が期待できるためです。これまでと異なる常識の組織に移ることには、もちろん不安がありますが、それを越える新たな刺激が研究者の力を伸ばします。流動性は、新たなものを生み出すクリエイティビティーの高い仕事において、大事なことなのです。

また職業人としての「職位」を高める、例えば准教授から教授になる、といった機会は、同じ組織内にこだわるとあまり多くありません。でも外の組織まで視野を広げると、その組織になかった別の切り口で優れた人材を求めている可能性も出てきて、選択肢がぐっと増えます。そのために研究者はしばしば、所属組織を替えるのです。私は、「研究室主宰者になり、その次には大型の研究プロジェクトのリーダーになる」と心に決めていました。そのために、研究者の新たなポストを探しているのだと、周囲にアピールしていたわけです。

東北大学へ医学部の教授として赴任したのは37歳、教授としては若い年齢でした。東北大の理系の女性教授は2人目、医学部では初めてでした。学部の教授会に出席する当時70人ほどの教授陣の中で女性は私だけ。海外出張の後の少しの居眠りでも揶揄(やゆ)されて、「周囲に見られている」とひしひしと感じました。学会の懇親会の席では酔いもあるのでしょうが、なぜ私が教授に就任できたのかと、からんでくる人もいました。男性には「なぜ女のおまえが」という悔しさがある人もいたのでしょう。女性からも似たようなことをきかれたことがあります。そんなときには「おかげさまで。運がよかったのですよ」とへりくだるか、「離婚していますからね」と自虐的になってみせて、敵意の矢をやりすごしました。周囲のネガティブな感情は、基本的にはスルーしてしまうこと。物事を前向きに考えられなくなりますから。どんなにがんばっても、すべての人に愛されながら、社会的に成功することは難しいのです。自分にマイナスをもたらす攻撃など、気にしないに限ります。

どんなときも中長期的な目標を

次のマイルストーンは、大型プロジェクトのリーダーになることでした。マイルストーンというのはもともと、マイル表示の距離を示すため道路に置かれる標識の石を指します。キャリアを長い道のりに例えて、その目印のマイルストーンを自分で設定することは、キャリアマネジメントにおいて大事なことだと思っています。

人生の目標って、あまり明確に持っていない人も多いものです。仕事に追われていたり、家族のケアが大変だったりすると、目標なんて考える余裕がないのかもしれません。でも、中長期戦略として目標があるかどうかは、キャリアに大きく影響するのではないでしょうか。というのは、「若いころは私よりすばらしい能力を持って輝いていた人が、やがて失速していく」というケースを時々、目にするからです。

当時とくに大学の研究者には、教授が安定した職と考えられていました。企業と異なり、教授職を失うことは犯罪でも犯さない限り、まずありません。そのうえ研究の成果を論文で出すとしても、締め切りがない。手を抜く気になれば、いくらでも可能です。ですが、研究者ですからね。目標を自分で設定して、次の研究に挑戦する気概をなくしては、なぜその仕事を選んだのかと問われてしまいます。

負けず嫌いなのかと、私自身のことを問われれば、そうだと思います。一人っ子は甘やかされるとよく言いますが、私は子供のころから大人４人に囲まれて、背伸びさせられた感じのなかで育ちました。自分の力を客観的に見つめながら、必死にがんばるというのが身についたのでしょう。研究でもそうです。実験を同じ方式で２回やってみて、うまくいかなければサッとやめる。いいデータが出ているときは、集中的に時間を費やして続ける。自分の勝ち負けのパターンを分析したり、相手の心理を読んでみたり、いろいろな工夫をしてきました。

研究に生きたネットワーク作り

研究費を獲得する――近年、研究者においては、自分が構想する研究の提案を申請書の形で提出し、書類や面接の審査を通って、研究費を得るという活動が重要になってきています。国や大学、公的研究機関といった組織が、だまっていても充実した研究費を与えてくれる時代ではありません。「これなら予算を投じる価値がありそうだ」と審査員に感じてもらってはじめて、研究のための資金が支給されます。ですから、研究費を「獲得する」という言葉を使うのです。

私が研究グループの代表者になって、最初に目指した大きなプロジェクトの例でお話ししますね。そのプロジェクトは、科学技術振興機構（ＪＳＴ）という研究費配分機関が「脳の機能発達と学習メカニズムの解明」という研究領域で募集したものでした。脳科学のなかで、神経発生や神経回路発達をテーマとする領域でした。名の知られた研究者と共同研究の形にした申請の書類審査が通り、２人で面接のヒアリングで研究計画を発表するところまでいきました。でも残念ながら採択されずに終わりました。

そのときのことを振り返って反省したのは、自分が「添え物」に見えて失敗したのだろうということでした。「有名な連携相手の力を使えば有利なはず」と思ったわけですが、その分自分が弱く見えてしまう。これでは、その研究プロジェクトで実際に私がどれほど熱意を傾けても、その思いがしっかりと伝わらない……。

そこで翌年の２度目の挑戦で、形を大きく変えてのぞみました。このときは、本章の冒頭で紹介した「神経幹細胞」から神経細胞が作られる「ニューロン新生」に着目し、独自のアイデアで精神疾患との関係をテーマにしました。私自身が代表でリーダーだとはっきり明示し、一緒に研究に取り組む参画者を選びました。大きなプロジェクトは研究者一人でするものではなく、研究テーマを分けて分担して進めます。どんな研究実績を挙げている人にどのテーマを担当してもらうと一番うまく進むのか、適材適所ということと、さらにバランスも大事です。研究計画の書類やプレゼンテーションを通して、それらを審査員によく理解してもらえるよう工夫をして、採択にこぎつけました。

大きなプロジェクトの成功は、研究のテーマとキーワード、それにチームのよしあしで半分以上が決まります。そのときの社会的ニーズや学問分野の流れにうまく乗ることも必要です。熱意を持ってプロジェクトを進め、連携する研究者同士をつないでいくうえで、核となるプロジェクトリーダーの研究者に個性がないと大勢のメンバーを惹き付けられません。それには先ほどからお話ししている、人的なネットワークが効いてきます。

また、いつもと違う切り口の分野を導入する場合、その分野を手掛けてきた研究者を、常に直接知っているとは限りません。そこで「こういった切り口で参画を頼める人はいませんか」と親しい研究者に尋ねて、紹介してもらうということがしばしば出てきます。研究者人材データベースなどで検索して、面識がなくても探し出すという方法もありますが、相談できる仲介者に頼ったほうが、安心して協力し合える優秀な人が見つかる可能性は高いです。今の若い研究者はウェブ活用を得意とする分、世代を越えての人と人とのネットワーク作りが苦手のようで、ここをもっと鍛えてほしいなと感じます。

「少し背伸び」が力に

大学のミッション、つまり重要な任務は何か、知っていますか。それは研究と、教育と、社会貢献です。社会貢献の部分は、医学系だと「診療」だったり、工学系だと企業と協力したモノづくりなどの「産学連携」だったり、地方大学だと「地域連携」だったり、さまざまです。分野によらず大学の教員として共通するのは、研究と教育です。低学年の学生に対しては、基礎知識を身につけてもらうための講義をします。高学年の学生に対しては、「研究を通して、次の世代の高度専門人材を育成する」という点から、教育と研究が一体になって進みます。とくに大学院生は、社会人にあたる年齢でもありますし、教育というより「人材育成」と表現したほうがなじむケースも少なくありません。

研究室の中での人材育成の方針は、人によってかなり異なります。例えば私は、学生が「やってみたい」という取り組みを、基本的には否定しません。本人が納得いくまでやれるように見守ります。たとえそれが「無駄に終わるに違いない」と容易に予測できても、です。失敗することで自ら学び、伸びていくという教育効果があるからです。

それから意識しているのは、「少し背伸びをさせること」です。課題をこちらから与える場合は、ぎりぎりのラインをちょっと超えるレベルのものを考えて、用意します。研究に限らず、研究室運営に関することでも「あなたなら、これをやったほうが伸びるでしょう」というものを割り振ります。学部4年生であれば、研究室の飲み会の段取りを考えることも、一つのレッスンとなるでしょう。

これらの私の教育方針は、「自分で伸びていく力をつけることが、プロの研究者になるうえで欠かせない」という思いに基づいています。学生に何度も同じことを口にして、嫌になってしまうこともありますが。やっぱりだれでも当事者になって自分のこととして実感しないと、その気になれないものなのでしょう。学生はいつどこで開眼するかわからないから、私たちは刺激を与え続けなくてはいけないのです。

身近なロールモデル、東北大の「サイエンス・エンジェル」

研究者を目指す若い女性のことを気にしはじめたのは、東北大で初の女性医学系教授として、予想以上に注目されたころからです。私は母が同業だったため、研究者になるという憧れを、まあ実現できるだろうと、ある程度安心している部分がありました。もっとも身近にモデルがいたわけですから。ですが私自身がこの立場となってから改めて振り返ると、年下の後進の理系女性の多くが、不安を抱えていることに気づいたのです。東北大で男女共同参画担当の総長特別補佐になったことから、女性研究者の支援に本格的にかかわるようになりました。

今、力を入れている活動の一つは「サイエンス・エンジェル」(SA)です。若手研究者の卵である女子大学院生が、中学高校の女子生徒らの理系選択を後押しする「エンジェル」として活動します。女子大学院生は、子供たちにとって身近な研究者の具体像を見ることができる、ロールモデルです。この活動によって年齢の縦のつながりと同時に、大学院生同士の横のつながりが育まれます。東北大は国立総合大学ですが、実は教員も学生も8割が理系という特色があります。そのため理系女性の育成は大学にとって大切なことで、大学から活動費の支援が出るように設計しています。女子大学院生の有志をSAに任命し、さほどではないですが、活動に対して謝金を出しています。

SAのネーミングについては、よく聞かれます。エンジェルを自称するなんて、女子を売り物にしているみたいだと思う人がいるようです。2000年代の、アクションとお色気のアメリカ映画『チャーリーズ・エンジェル』を、思い浮かべる方もいるかもしれません。でもエンジェル(天使)は本来のキリスト教の位置づけでいうと、中性的な存在でかつ、神のメッセージを届けるメッセンジャーです。SAはサイエンスの魅力を伝えるメッセンジャーなのです。

女子生徒から注目されるためには、一般社会に対してもアピール力がある組織にすることは欠かせません。だからタレントのような華やかさや、ミーハーな部分があってもＯＫです。もちろんそれが好きでない方は、そうする必要はありません。自然にふるまうのが一番です。本業は大学院生なので、やりすぎてもいけない。その辺のさじ加減は微妙です。でもこれは、大学の研究成果を、社会にどうアピールするかという、広報戦略全般の悩ましさでもあります。そのバランス感覚を学生が磨くことは、教育効果としてプラスのことだと考えています。

例年は夏のオープンキャンパスのときに、女子の理系進学を後押しするイベントを企画したり、女子高校生向けの個別相談会を開いたりしていました。２０２０年は残念ながら新型コロナウイルス感染症の影響で、どの大学もウェブでのオープンキャンパスになってしまうなど、やりにくい面がありました。でもそれがよかったのでしょうか。彼女ら自身からの活動提案が出てきました。今までは、科学系雑誌の企画を受けてＳＡを何人か派遣する、という人材派遣のようなケースも、少なくありませんでした。それが今年は、自分たちで「ｎｏｔｅ」などウェブのサービスを駆使して、できることをと考え始めました。新型コロナで社会的には大変なことが多数起きていますが、「今まで通りでは何も進まない」と、新たな形で動く人が増えることは、創造的な未来を作り出すうえでよい影響があると思っています。

若い研究者のロールモデルを増やしたい

副学長として私は今、男女共同参画に加えて広報部門長や図書館長を担当しています。東北大では理事・副学長という大学運営のかなめとなる12人のうち、２０２０年度から女性が３人に増えました。理系の存在感が大きい大学ですから、12人のうち理系が10人を占めています。女性３人とも理系です。大野英男総長はお母さまも物理の研究者だったとのことで、女性研究者についての理解が自然な形で身についているようです。

組織における上位の職を目指す女性に向けては、その仕事のロールモデルを見えるようにすることが有効です。前例がまったくなく不安でも、雰囲気がわかれば「私もがんばってやってみようかな」と思えるでしょう？　だから学内の女性教授らには「皆さんはロールモデルだということを意識してください。政府の委員会の委員依頼など、人前に出る機会があればぜひ、引き受けてください」と伝えています。研究に熱心なあまり、そういった社会的な役割を面倒に思う人がいるのです。でもこれはその人一人の問題ではない。社会的な環境をよりよくしていくために、力を貸してくださいね、という気持ちです。

中堅や若手の女性には、大物男性の補佐の役割に甘んじないよう、ちょっと背伸びをさせる助言を意識的にします。将来の活躍を期待できそうな女性には、例えば全学的な委員会に入ってもらうなどして、早くから大勢の目に留まる場に引き出します。なぜならいずれポスト、つまり組織における役職や地位が、教授などになるなら、大勢の男性とともに競争することになるからです。能力が正当に評価された結果選ばれたとしても、周囲からやっかまれがちです。皆にチャンスがある自由で民主的な環境下では、仕方のないものともいえます。ただ精神的に負けないために、攻撃を跳ね返すだけの自信を、早くからつけておくことが有効だと私は思うのです。

それから、妬みの気持ちは、「自分と同等、むしろ自分のほうが上」と思っていた相手が、より高い評価を得たときに強く生じるものです。考え方が古い男性の場合、女性の活躍をおもしろく思わないのはそのためでしょう。それからこれは男性同士でもそうですが、昔から同じ環境にいた相手に先んじられると、ジェラシーは強くなる。でも、外部から来た人であれば「あの人は自分たちとは違う世界から来たのだから」といった具合で、ジェラシーも弱いようです。

振り返ると両親とも、研究者から研究組織のマネジメントに仕事を広げていました。父は研究所の所長を務めましたし、母は日本女子大で理学部を立ち上げるときの旗振り役で、理学研究科長になりましたから。私だけ身近にロールモデルがいては申し訳ないから、あちこちにモデルを育成しなくちゃ、という気持ちになっています。

書く楽しみとワインの時間

東京に住んでいたころは、茶道を月1回習っていました。美術鑑賞も休日の楽しみでした。でもずっと続けていきたいことを改めて考えてみると、それは文章を書くことでしょうか。

今、定期的にビジネス系の雑誌にコラムを書いています。ほぼ2ヵ月に一度の掲載です。「次は何を取り上げようか」と平日の仕事の合間にあれこれ考えて、週末に書いてみる。担当の編集者に、書き直しの助言をもらい、やりとりをして、その次の週末に書き直します。担当の男性も理系出身者で、科学技術の話を柔らかくコラムにする工夫など、一緒に考えています。

私の著書には、専門を一般向けに書いたものとしては、ブルーバックスから出させていただいた『脳からみた自閉症　「障害」と「個性」のあいだ』（講談社）をはじめ、『脳の誕生　発生・発達・進化の謎を解く』（ちくま新書）などがあります。アドバイザーとして携わった『理系女性のライフプラン　あんな生き方・こんな生き方　研究・結婚・子育て　みんなどうしてる？』（メディカル・サイエンス・インターナショナル）は、大学院生から研究者を目指す20～30代の方にとって、具体的な事柄が盛り込まれていて参考になると思います。これは元サイエンス・エンジェルだった女性２人の発案が基になったものです。ほかに翻訳書もいくつかあります。気楽に目を通してもらえるブログも書いています。「大隅典子の仙台通信」で探してもらえると嬉しいです。

そういえば……。小学生のころ、両親のお仲人さんの家へお正月のあいさつまわりに連れていかれたときのことです。お仲人さんは植物細胞学の研究者でしたが、本を多数書いている人でした。「著書を重ねて積んで、背の高さにするのが目標だ」と言っていて、かっこいいなあと憧れました。年齢を重ねて将来、研究者の仕事に区切りを付けることになっても、文章を書くことは続けたいですね。

それから私はワインが好きで、友人と飲んで語る時間が大好きです。相手が女性研究者であれば具体的な相談をしたり、愚痴を言ったり、本音の話もしやすいですし、ね。理系女性は日本においてはまだ、相対的には少数派だけれど、同じ志を持つ人はたくさんいます。点在しているので、自ら動いてネットワークをつくって支え合ってほしいと思います。喜びを人と分け合えばそれは倍になり、苦しみを人と分け合えばそれは半分になる。仲間とともにどうぞ、あなたなりのすてきな生き方を探していってください。

第2章 悩みながらたどり着いた「これだ!」という研究

東京大学教授 大島まり

「バイオ・マイクロ流体工学」って知っていますか?

皆さんにリケジョの実態を知っていただく前に、まずはざっと私の研究内容と取り組んでいる活動について紹介しますね。

私は東京大学の「第二工学部」と呼ばれた歴史がある、生産技術研究所（以下、生研）で教授をしています。東大は1〜2年生が学ぶ教養学部が東京都目黒区駒場にあり、「駒場Ⅰキャンパス」と呼ばれています。私の所属する研究所は、その近くに位置する「駒場Ⅱキャンパス」にあります。研究所なので授業を多く持つのではなく、研究と、大学院生を中心とした教育が役割になります。私の研究室には機械工学系と、文理融合の情報学系の学生が所属しています。

研究の専門は、バイオ・マイクロ流体工学です。聞いたことはあるでしょうか？ 耳にする機会はそう多くないと思います。これは人間の体内を流れる液体に関する研究です。液体の流れのなかでも中心とするのはヒトの血液で、脳動脈瘤（りゅう）や動脈硬化症などの循環器系の病気において、その原因となる血管の病変のメカニズムを明らかにし、医師が患者の診断や治療をよりよい形で進められるよう支援する技術の開発を目指しています。

例えば脳動脈瘤は手術が難しいので、見つけてもすぐに手術するより経過を見て判断したほうがよいケースもあり、手術をすべきかどうか、その判定を後押しするといった技術です。具体的には脳を医用画像（ＣＴやＭＲＩなど）にかけて、脳動脈だけを抜き出した画像にし、血液の流れを再現するために、数式を使ったシミュレーション（数値解析）を行います。そのシミュレーション画像では、血管にかかる力を色で示すことができ、「この瘤（こぶ）にかかる力の変化が、ここしばらくの間でこの程度だったのなら、手術を急ぐ必要はないだろう」と判断する手助けになります。流体工学で、血管壁にかかる流れとそれに伴う力の変化を見るわけです。医学部でなくても、医療にかかわる研究は広くなされているのです。

もう一つ、研究以外で大切にしている活動が、「研究を通しての科学技術教育」です。大学などの研究から得られたものを使って、子供たちの理科、数学の学びがどのように社会と結びついているかを理解してもらい、工学への関心を高めてもらうのが狙いです。東大生研の「ＯＮＧ」(次世代育成オフィス：Office for the Next Generation）という組織で、小中高校に出向いて授業をしたり、研究所公開時に体験の場を用意したりしています。２０２０年から新型コロナウイルス感染症の対応で、イベントのオンライン開催が相次いでいて、残念な状況です。ただ、収束した後には、他のイベントも含め、その分対面での開催で取り返す意識もあって、いろいろな企画が出てくると思います。そうなったらむしろチャンス、ぜひ参加してみてください。またＯＮＧのウェブページでも、活用できる映像や実験教材の提供などがありますので、子供たちに対する指導者層の方に見ていただければ嬉しいです。

小学2年生で衝撃を受けた、アポロ11号月面着陸

今に至った、私のリケジョとしての歩みをお伝えしましょう。生まれは東京都千代田区。父も

東大の工学系で、計数工学科の教授を務めていました。父の仕事の関係で、幼児期は米国で過ごしました。母は1950年代に米国留学をしてその後、通訳をしていました。当時女性で単身、留学をするなんて、かなり珍しかったそうで、若いときから進歩的だったようです。

小学2年生のとき、衝撃的な科学ニュースに出くわしました。米国のアポロ11号の月面着陸です。1969年でした。テレビ映像はカラーはほとんどなく、白黒が主流の時代です。着陸のシーンを見て、「月に行くなんてことが、人間にできるんだ?!」って、本当に驚きました。そのときの感激は今も覚えています。帰国子女だったため、小学校に入った時点で日本語で言えるのは名前とあいさつのみで、いじめも少々受けていましたが、そんなことはふっ飛ぶほどアポロのニュースは強烈な出来事でした。

私は大学の研究室を活動の場とする研究者ですが、研究を実社会に活かしたいという気持ちを持っています。実際の社会で使われていく「技術」として開発を完成させ、それを具体的な装置や機械に組み込む「技術者（エンジニア）」の一人なのだという意識を持って研究をしています。月面着陸を現実のものにしたのは研究者や技術者だという認識が、アポロのことがきっかけで私に芽生えて、ずっと続いていったのではないかと思っています。

ほかに理系に進むきっかけになったことといえば、小学生のころから算数や理科が好きだったことでしょうか。帰国子女だったため、国語が苦手だったことも影響していたかもしれません。

中学校は千代田区立麴町中学校でした。優秀な高校に生徒を送り出す進学校という一方で、あの時代は多くの公立校で見られたのですが、学級崩壊も多少ありました。厳しい先生に対して、反発する生徒が少なからずいたのでしょうね。

テニス漬けの高校生活でついた体力

高校は東京都立の日比谷高等学校に進みました。自由な校風で、先生も自主性を重んじて生徒にあまり口うるさく指導せず、のびのびと学校生活を送れるところでした。

私の一日は硬式テニス部での活動を中心に動いていました。母には「あなたはテニス学校に入ったのね」と言われていました。漫画の『エースをねらえ!』がはやっていたころで、テニスは他の部活と比べても人気が高かったです。ですが漫画の素敵なイメージに反して、実際は体育会系で、上下関係も含めて厳しくしごかれました。

朝に素振り、昼休みも素振り。放課後は1年生の前半はほぼ球拾いでした。土曜には授業の後に皇居の周りをランニングで1周して、近くの日枝(ひえ)神社でのトレーニングが加わります。たった1学年違うだけなのに先輩と後輩で差があり、こんなものだと思う一方、「不条理だ」って思うこともありました。

学年が上がってからは試合にもそれなりに出ましたが、腕はそこそこ、というところでしょうか。それよりこの時代に体力を養ったことが、後で効いてきました。研究は体力勝負の面がありますから。それに高校生くらいのときに、「歯を食いしばって、簡単には音を上げない」という経験をしていることは、長い人生を考えると重要だと思います。また、友達にもずいぶん励まされました。

クラブと勉強の両立は課題でした。受験はもちろん意識していました。女性は仕事と家庭と、両方に責任を負うケースが多いですよね。その意味で両立するためのよいレッスンになったかなと、振り返ります。

国立大学の受験に「共通一次試験」が必須だった世代なので、5教科7科目を、文理の進路によらず広く学ぶ必要がありました。そのなかで古文は大の苦手でした。「こんなものをなぜ、学ばなくちゃいけないのか」「昔の言葉なんか、やっても無駄じゃないか」との思いもあり、勉強に身が入りませんでした。ところが大学院時代に米国に留学したときに、米国人が「源氏物語を知っているか。最古の小説だそうじゃないか」と話しかけてきました。そのとき、曲がりなりにも少し、会話を続けることができました。

それで気づきました。古文を勉強したことが教養の一部になっているのだと。異なる国の人との会話、あるいは国際的な場などで、専門とは別の社会的・文化的な話題が出る機会に、大切な役割を果たすものなのだと実感しました。もしも高校時代に源氏物語に触れていなければ、その後はまったく関心なしでいましたし、米国人からの自国に対する質問に答えることができず、残念な思いをしたはずです。苦手な科目だといっても、高校時代に少し取り組んでいるだけで、違ってくる。長い目で見て、意味があるのだなと思いました。

女子に不人気でも、工学の進路に迷いはなかった

高校2年生の、文系、理系の進路に合わせたクラスに分かれるときには、迷うことなく理系を選択しました。そして大学受験は、理学部ではなく工学部で。この選択には、高校の先生や同級生が「どうして」と驚きました。

同じ理工系でも理学は自然の営みを解明したり、自然界を成り立たせている仕組みや理論を探し出したりする学問で、真理の探究です。これに対して工学は、技術などによって社会で役に立つ何かを創り出す学問です。私は橋とか機械とか、目に見えるモノや実感できるモノを創ることに興味を持っていたので、工学だったのです。父が計数工学を専門としていたのに加え、趣味が大工仕事で、私も家で手伝っていたのが影響したのでしょう。また石油危機が起こって、社会的にエネルギー問題が注目されていたので、「解決するのは工学だ」という思いもありました。モ

ノづくりを通じて実社会で役立つことをしたい。だから、「女子が少ない分野だけど、大丈夫かな」という不安はあまり感じませんでした。自分がやりたいことを優先して進路を選択した感じです。

当時も今も、理系女子の間では医歯薬系か、また理工系なら理学部が人気ですね。理由の一つは免許や資格が取れることでしょう。医師、歯科医師、薬剤師、看護師などです。理学部なら、理科などの教員免許がとれます。ライフイベントなどで仕事をいったん休む可能性を考えると、「免許や資格があると安心だ」という判断が、保護者にもあると思います。また、これらの状況には進路指導も影響しているかもしれません。というのは、一般に工学部になじみが薄く、進路選択や大学卒業後のキャリア形成に関する情報が少ないのかもしれないですね。

でも、それで工学部を候補にしないなんて、もったいないことです! 工学における選択肢は、実はとても広いのですから。建築、機械、化学、生命とその人の関心に合わせて、工学では多様な専門を選ぶことができるのです。「迷っているなら工学部を」とおすすめします。工学部なら研究者という職業だけでなくさらに広く技術者、つまりエンジニアや、あるいは弁理士や弁護士など文系と思われる分野への道も選択できるので、多くの企業で重視されるキャリアパスにつながります。「何かを創り出して、社会の役に立ち、人を幸せにする」という仕事は、本当にすばらしいものなのです。

大学で、勉強の本当の楽しさを知る

大学選びは工学系というのに加えて、親元を離れての一人暮らしを実現できるところで思案しました。筑波大学ならさほど遠くもないし、寮もあって具合がよいと考えました。高校の先生には「女子で工学系、それも一人暮らし？　よく親が許しますね」と言われました。まだ女子大生は親元や親類の家から通うのが一般的な、保守的な時代でした。

ですが我が家では、米国での生活が長かった母が、「18歳からは独り立ちよ」と以前から言っていたのです。特に周囲の友達と話すこともなく私は、そうだ、親元を離れるんだ、と自然と思っていました。

余談ですが、私の2人の妹は、大学は文系に進学しました。すぐ下の妹は英文科卒業後、フランスで建築を学び直して、海外在住が長くなりました。一番下の妹も結婚後、大学に入り直して管理栄養士になりました。結果的に3人姉妹の全員が、理系の素養が必要な仕事に落ち着いたのです。

筑波大では1学年160人に女子4人、クラス40人に女子1人でした。高校時代よりも入学してからのほうが、よく勉強しました。「微分方程式ってこういう意味なのか」とか、「問題に対して、こんな解決方法があるのか」とか、「記号っておもしろいな」とか。受験勉強とは異なる、学ぶ楽しさを知りました。3年生で専門に入るときに、工学系の機械専攻に進みました。

大学院で鍛えられながら、研究に魅かれていった

大学院は他大学へ進学することを選びました。専門を深めるうえで、原子力や核融合をしっかりやってみたいと思ったからです。エネルギー問題の解決にも興味がありました。筑波大の指導教員にもすすめられて、東大大学院の工学系研究科の原子力工学専攻を受験しました。東大の学部からの「内部進学」ではない、他大学からの「外部進学」は少なくて、さらに研究室には女性は、私しかいませんでした。

修士課程から、流体のシミュレーションを始めました。汎用コンピューターの黎明期でした。その後もコンピューターの進展とともに時代を歩めたのは、ラッキーでした。大学院の修士課程の2年間で、研究を修士論文にまとめる必要があります。研究成果を出さなければならず、週末にも研究室に出向くことがあり、厳しい環境で、気を抜くことができませんでしたね。研究室での活動がそのころはすべてでした。

週1回の木曜午前の研究会は緊張の時間でした。研究室のメンバーが順に、研究の進捗状況を

報告する場です。また数ヵ月に一回、発表の番が回ってくるのですが、前日は緊張して眠れません。発表内容に対してかなり厳しい指摘を受けると、こんなにがんばって取り組んできたのに……とショックを受けることが多かったです。泣いたこともありました。人前ではなくてトイレで、ですが。

トイレといえば、あのころはひどかったですよ。男子トイレしかなかったところに、ベニヤ板で囲って、しかも天井はあいているような状態でした。いかにも仮に女子用にしただけ、といった具合で、話し声も筒抜けです。だからそこは使わずに、別のトイレを使うため、遠くの建物まで行っていました。研究室もあまりきれいでなく、一人で掃除をしたこともありましたね……。今はもちろん、女子トイレも整備され、あのころとは大違いです。

学生時代は自分を、女性として意識することはあまりありませんでした。「郷に入れば郷に従え」で、環境になじむのに必死でした。しゃべり方、プレゼンテーションの仕方、しぐさなどは周囲を参考にすることが多くありました。そのため男性っぽいとよく言われていました。今は教授となり、ダイバーシティが重視される時代でもありますから、女性に生まれついたことを否定することなく、自分らしさを出そうとしていま す。ただ当時はまだ、「博士だなんて、お嫁にいけない」「女性は24歳（24日）までが期限のクリスマスケーキ」なんていわれる時代でした。信じられませんよね。そのころは社会がそれくらい遅れていたんですね。

修士課程を終えた後に、就職することも最初は検討しました。１９８６年に男女雇用機会均等法が施行されましたが、結婚したら女性は退社する「寿退社」や、職種によらず女性が同僚の男性のお茶を用意する「お茶くみ」が、まだ残ってもいました。一方で、核融合の冷却剤の動きを数値解析する、電磁熱流体力学の研究におけるシミュレーションにかかわることがおもしろかったのです。データは９cm角ほどの媒体「フロッピーディスク」に入れて送っていたのに、やがてインターネットでやり取りするようになってくる。そういう変化の大きな時代に、新しい技術を使って自分たちの研究を進める楽しさも感じていました。そのため、博士課程に進み、研究を継続しました。

米国留学で感じた日本との差、男女の違い

博士課程では、憧れの米国マサチューセッツ工科大学（ＭＩＴ）に留学しました。アポロにかかわった多くの研究者たちの出身大学としてずっと頭にあって、留学を実現させたときには嬉しい思いでした。一番、驚いたのは女子学生が大勢いたことです。原子力の専門でも3分の1が女子で、身近に同世代の同性がたくさんいて、のびのびとしている。目からうろこでした。また、宿題やテストの分量が多くて皆、「大学生活は地獄だ」と言いながらも、週末はデートをしたりボランティア活動をしたりしているのです。勉学や研究のレベルの高さにはショックを受けましたが、それを刺激に猛勉強をして、「研究者になろう」と心を決めることができました。

日本社会や日本人との違いも実感しました。電化製品の品質の高さや、電車が時間通りに来ることなど、日本はさまざまな点で安全性、信頼性が高いのだと知りました。「ジャパン・アズ・ナンバーワン」といわれて、日本の経済成長が強く注目されていました。一方で１９８０年代の米国らしい懐の深さも感じられる時代でした。米国は自己責任の社会です。自分で主張し、質問し、選択をする。安全のためには自衛も必要となります。日本はとにかく暮らしやすく、大きな違いです。

2回目の留学は博士号取得後、助手のときに、同じく米国のスタンフォード大学に行きました。結婚して子供を育てている女性研究者との交流で、「家庭か研究かを選択しなくてもいいんだ、両方できるんだ」と励まされました。

海外留学には、男性より女性のほうが、今も昔も積極的な印象があります。男性は家族など、周囲からの社会的な期待が高くて、それに応えなくてはいけないプレッシャーがあるのかもしれません。それに対して女性は、逆に好きなことをやらせてもらえる傾向があったのでしょうか。女性はコミュニケーションが得意な人が多いと思いますし、さまざまな人とのつながりや話のなかで、「じゃあ、やってみよう!」と思い切った決断ができるというケースもあるのかもしれません。近頃は女性の社会的な活躍の場が急速に広がっていて、どんどんよい方向に進んでいると感じます。

進学先や研究などについても、同じような傾向があるように思います。一般的に男性のほうが保守的な印象も少しあります。女性のほうが新しいものにトライしながら変化を楽しんでいるようにも感じます。米国の親しい教授も言っていました。積極的な女子学生も多く、自分の研究室へ来ることを歓迎するのだ、と。

「これだ！」というテーマをついに見つけた

留学によって、学生時代は米国の東海岸、助手になってからは西海岸と、異なる文化を味わうこともできました。帰国すると、今度は自分で研究室を構えるなど、自立した研究者としての活動を本格的に始めなくてはいけない時期でした。30代半ばです。でもそこではたと立ち止まったのです。「研究者として本当にやっていけるのかな」と。

スタンフォード大学の流体の研究は世界最高峰、一流の人ばかりです。同僚から強い刺激を受けると同時に、自信を失っていました。流体工学には歴史があり、研究者も多い伝統的な分野ですから、「同じように競争して、勝ち目などあるのか」と考えると、とても厳しい。「私には才能がない」と実感しました。それまでは「がんばったらそれなりに手ごたえが得られる」と思えたのに、そんな甘いものではないと実感したのです。今まで通りのことを続けていくこと、研究者として進んでいくことは、私には無理なのではないか。「転職をするのなら30代半ばまで」との話が頭をよぎります。プライベートでも「結婚したいと思うけれど、この先もずっと独身なんだろうか」と漠然とした不安がありました。研究そのものもうまくいかず、スランプでもんもんとしていました。

そんなときに、転職仲介のプロから声がかかりました。「米国の投資銀行で働かないか。10倍の収入を用意しますよ」と誘われたのです。あのころは金融工学、つまり資金運用を数学や数理モデルをたてて数値シミュレーションを駆使して予測する分野が人気でした。私は研究で数値シミュレーションをしていましたから、米国の有名なヘッドハンティングの会社に声をかけていただけたのです。「いっそのこと、まったく違うキャリアで再出発してみるか」と心は揺れました。

でも最終的にはその依頼を断りました。科学への思いがまだ、断ち切れなかったからです。そこで「研究者としてあと2年間、がんばってみよう」と心を決めました。漠然と過ごしていてはだめだ、期限を決めて必死にやってみて、それで助教授（当時）など次のステップに上がる成果が出せないのなら、それは「客観的に見て無理だ」と判断されたことであろうと。人事を尽くして天命を待つ。自分なりにできるところがあるのではないか。できるだけのことをしてだめだったら、次のキャリアを考えよう、と。

人生を通して取り組む、核となる研究テーマを見つけることは、研究者のもっとも大きな課題です。独自の研究テーマにすぐに巡り合えるラッキーな人もいますし、私のように時間がかかる人もいます。ですがいずれにせよ、それを見つけることは、研究者になるうえで乗り越えなくてはいけない課題だと思います。

私の今の道につながるきっかけは、スタンフォード大学の時代に出会ったユニークな研究にありました。心臓の血液の流れをシミュレーションする研究で、新しい分野でおもしろいなと気になっていました。でもきっかけがつかめず、そのときは踏み込むことはありませんでした。

ところが帰国後、生研の研究室仲間の紹介で、脳外科の医師より「血液の流れと脳動脈瘤の病気の関係を、数値シミュレーションで調べられないだろうか」と提案されました。心臓シミュレーションの話が頭に浮かんで、即諾しました。調べてみると国内外であまり例がなく、また私の研究室の教授は懐が深くて、異分野への研究に理解を示してくれました。「これだ！」って思いました。こうして自分の研究テーマを見つけたのです。研究成果は患者さんに大きく役立つ可能性を秘めていて、社会に貢献できる仕事になります。

期待と興奮の毎日で、深夜まで研究に取り組むことも多かったです。私、がむしゃらにやってしまうタイプなので。おかげさまでこれらの研究成果により講師になることができ、研究者としてやっていくのだと、自分の生き方が固まりました。

それまでの専門を生かしながら、異分野とつながってしなやかに進化しながら、次のステップを目指す。キャリアはそうやって築いていくものなのかもしれません。

中高生向けの科学技術教育活動

期限を決めて「研究者としてあと2年間、がんばってみよう」という思いのもと、研究に励んでいた一方で、実はもう一つ別の活動を手掛け始めました。私のライフワークともいえる活動に発展してきた、子供たちへの科学技術教育です。

MITに留学中、クラスメートらが週末に地元の高校へ出向いて科学技術のおもしろさを伝える活動、いわゆる「アウトリーチ」を行っているのを見ていました。勉強や研究があんなに大変なのに、ボランティアの活動をしているのか、と興味が湧いて、私も参加することがありました。

こういう活動なら自分の研究を紹介したり、他の研究者仲間の研究内容や活動についてアピールを手伝ったりできます。また、グループ組織の活動のマネジメント（管理・運営）と、研究発信の経験は、次の研究にもプラスになるはずです。そう思って自ら企画して、生研に「ＳＮＧ」（Scientists for the Next Generation：後のＯＮＧ）というボランティアグループを立ち上げました。小中高校に出向いて「出前授業」をしたり、キャンパス公開時に体験の場を用意したりしました。

研究だけでなく教育についても、やれるだけのことはやろう、との思いも当時あったのでしょう。その取り組みがライフワークにまで発展するとは、そのころは思ってもいませんでしたが。

当時、生研は東京都港区六本木にあり、研究所公開は企業人や他の研究者向けを中心に6月に実施していました。そこに中高生向けツアーをプラスして企画しました。無響音室って知っていますか？　音の反響を抑えた実験用の特別な部屋なのですが、そこに入ると「音が吸われていく」様子が感じられて、おもしろいのです。そういった、楽しみながら研究について知ってもらえそうな研究室や設備を選んで、見学できる機会を設けました。

工学部のイメージをアップデート！

科学技術教育体験や生研公開などを通じて、子供たちの親御さんに接すると、多くの人が工学部に対して持っているイメージが実際と異なることにびっくりします。とくに機械工学は、工場で機械整備をしているシーンを思い浮かべてしまうみたいですね。周囲に製造業のエンジニアがいる家庭はあまり多くないと思いますので、伝え聞く昔の姿しかわからないのかもしれません。「娘が工学系へ進学したいといっているけれど、大丈夫かしら」という不安を、解消してあげることも私の役目と感じています。

例えば「研究室の学生は遅くまで実験していて最終電車の時間に間に合わず、研究室に寝泊まりしたりするのでしょうか」などと聞かれます。女性のための安眠室などがあるため、研究室で寝ることなどは、今はあまり見られないと思います。安全管理の点でも、かつてとはかなり変わっています。また「大学院に進学したら、結婚が遅れませんか」という質問もあります。でも今は学歴に関係なく、我が国では結婚する年齢が高くなっていますからね。その人次第としかいいようがないでしょう。

研究の手法については、遠隔化がかなり進んでいます。私が手掛けるコンピューターシミュレーションなどで普及していて、研究者が必ずしもその場にいなくても、操作できるようになってきました。新型コロナへの対応を経て、今後は実験でも自動化が導入されるなど、さらに進展が予想されています。だから夜遅くまで研究室にいなくても大丈夫、子育てとも両立しやすくなってくるのではないでしょうか。そう伝えて、安心してもらうようにしています。

新しい「女子」と「理系」の姿

活動を通して女子生徒と男子生徒を見て、感じるところをお話ししますね。中学生までは積極性に男女差が少ないですね。ぱっと疑問を口にしたり、手を挙げて質問したり。無邪気なのでしょうか。それが高校生になると男子が少しおとなしくなるように感じます。皆の前で口火を切るのは、女子が多い印象で、男子は終わってから個別に質問に来たりします。大学の学部でも大学院でも、多くは女子が元気で、男子はおとなしい感じがします。私たちの世代では社会的な性差、つまりジェンダーの違いがあり、伝統的な意識から抜け出せていなくて、例えば「委員長は男子、副委員長は女子」と、男子がリードして女子がサポートするといった形が一般的だったのですが、今は全然違いますね。

また、最近の変化として、理系の概念がかつてより幅広くなってきたこともあげられます。以前は理系では伝統的に数学と物理の学びが必須で、高校まででこれらの科目が得意でなければ、なかなか理系に進めなかったのです。女性は数学や物理に苦手意識を持つことが多いこともあるのでしょうか。今でもこれらの教科が基盤となる電気、機械の分野は、あまり増えていません。

ただ理系でも数学や物理を多用する分野だけでなく、生命系の領域が急成長している現代社会において、明確に理系と文系の線引きができないような境界領域が、社会的に重要性を増してきています。環境やデザインといった分野もそうです。数学や物理が主となる硬めの理系ではない、柔らかめの理系分野での女性の活躍も多く見られます。

それからソフトウェアが社会で一般的になってきたことも大きいと思います。ソフトウェアはかつて、技術者が自分で開発して使っていました。そのためには方程式の意味を理解するなど、物理や数学的な原理原則を理解することが欠かせませんでした。でも今は、開発されたソフトウェアを入手して、それを活用することで新たな何かを切り開くことが可能になってきています。理系と一口にいっても、いろいろな層ができていて、理系の裾野が広がってきているのです。

学問は古くから積み重ねられてきた知識や方法を大事にする「知の継承」が重要です。流体力学や、有機合成化学といった伝統的な分野はその傾向が強く、大勢の研究者がいて競争も激しいです。逆にバイオテクノロジーやライフサイエンスなど、異なる既存分野を融合させた「知を創造」するような新しい分野には女性も参入するチャンスがあり、相対的に女性が増えている気がします。保守的な社会である日本だけでなく、米国でも同様の傾向が見られます。私は、博士課程で学んだ流体力学と数値シミュレーションを活かして、原子力の分野から転換して、工学とライフサイエンスとの融合という分野に進みました。

工学は基礎的な学問を重視しつつも、社会が求めるものに合わせてさまざまな知識や技術を応用する学問ですから、柔軟性を持って変わっていくことが重要です。医師など医学系の専門家と共同研究をしていると、最近では、特に若い医学系の研究者などが新しい研究や技術を取り入れようと、自分でシミュレーションする人も多くなっていることに気づきます。テクノロジーの重要性を理解しているので、対等の意識で連携することができます。

日本機械学会の会長を経験

２０１７年に日本機械学会の会長に、女性で初めて就任しました。ちょうど１２０周年を迎える年に会長を務めました。機械学会は、学会員が約３万６０００人という伝統ある大規模な学会であり、内訳は大学や研究機関と、そして企業と、ほぼ半々の会員構成です。１２０周年事業として、機械系の女子生徒・学生を増やすために「メカジョ未来フォーラム」を立ち上げ、学会賞の中には博士課程学生向けの「女性未来賞」も創設しました。少ない機械系の女性を応援する姿勢を明確にできたと思います。

古くて規模の大きい学会ですので、会長としてのプレッシャーはもちろんありました。少ない女性が重要な役目に任命されると、「周りはどう見るだろうか」と心配になりがちです。でも周りがどう評価するかは、自分の手の及ばないことであり、コントロールしようがないことです。

そのため逆に開き直って、「やるだけやってみて、ダメならそれでしょうがない」っていう気持ちで取り組めました。規模が大きいので、まず身近で応援してくれる人たちと「がんばりましょう!」って結束を固めて。少しずつ実績を積み重ねていくようにしました。

学会長として全国8支部を訪問したときには、積極的に女性研究者・技術者の懇談会を開くようにしました。そこで感じたのは、「出身は工学部機械工学科でなくとも、企業に入ってから機械系の仕事に取り組んでいる女性が多い」ということです。化学工学科出身の人なども目立ちますし、文系の人もいます。

機械工学には四力(よんりき)と呼ばれる、材料力学、流体力学、熱力学、機械設計の4つの力学が学問として体系化されています。でも機械工学科の出身でなくとも、モノを形づくったり動かしたり、システムを組んだりする人が増えてきているという、その広がりを実感しました。一方、四力を理解していたほうがプラスですし、学びたいという声も実際に耳にして、専門の学びをしていない人向けの講習会などを、学会でも積極的に提供すべきだと感じました。

逆に、機械を学んで他分野に携わる人もいるし、裾野が広がっていると考えてよいのではないでしょうか。かつての機械のイメージと違って、今はコンピューター制御が主流なので、かつてのように力もさほど要しません。むしろ生物系の実験のほうが、動物や細胞を扱うため、大変そうだなって思うこともありますよ。

40代に結婚・出産。何が起こるかわからない

夫と知り合ったのも実は機械学会に関連した国際学会において、でした。夫は9歳年下で、私立大学で教授をしています。同じ機械工学で生体力学の研究に従事していて、私が血液なのに対して夫は骨や筋肉が研究対象です。1年ほど付き合って、結婚したのは42歳。出産は44歳でした。娘は中学生で、家でも夫と研究の話をよくしますから、リケジョになりますかね。はたしてどうでしょうかね……。

結婚したい気持ちはずっとありましたし、「式を挙げるならこんなところで」と想像をふくらませることもありました。でも年齢が上がってくると、結婚は無理かな、とあきらめかけていました。だから周囲の誰もが、結婚の報告に「えーっ」って驚いていました。人生、行き当たりばったり。縁とタイミング、いろいろ重なっての家族です。

女性はワーク・ライフ・バランスに悩むことが多く、昨今の研究者は任期制、つまり3年や5年の任期の中で研究成果を出して、次の職場のポストを得るという働き方なのでなおさら大変です。でも「案ずるより産むがやすし」の面もあります。社会が大きく変わってきていますからね。

私たちの時代は、男社会に順応しなくては、という気持ちが強くて、知らず知らずに自分らしさを打ち消そうとする面がありました。でも今、若い女性は皆、自由で、くったくがなく、生き生きしています。「そう、そうあるべきだよね」と応援しながら、うらやましくも思います。昔は女性は、少ない選択肢の中から生き方を選んで、他をあきらめなくてはいけなかったけれど、今はとてもたくさんの可能性があり、チャレンジすることができます。

社会って、変わるときにはものすごく大きな変化が短期間で起こるじゃないですか。女性活躍の社会環境もその一つです。あまり先のことは結局、わからない。だからこそ、無理して自分を抑えて、そのときの社会通念に従う必要もないかもしれません。やりたいと思うことに挑戦していってほしいと思っています。

第3章 ベースの理系を生かしながら、仕事の幅を広げて

日刊工業新聞社論説委員、編集局科学技術部編集委員　山本佳世子

好きな化学を学ぶために、苦手科目も克服

近年は理系出身で、理系そのものではない職業に就く人が増えています。男女でいうと女性のほうがその傾向は強いかもしれません。私もその一人で、「ビジネス&テクノロジー」を掲げる総合産業新聞の記者をしています。「学生時代まではリケジョ、でもその後は理系の素養を生かして、異なる分野で社会の役に立っています」というモデルの一つとして、私自身のことをお話しいたします。

小さいころに一番、得意だった教科は国語でした。算数や理科は常に成績がよかったわけでは

ありません。母が文章好きで、私の作文を指導したり、読書のための良書を選んだりしてくれたためでしょうか。日記のほか、小説らしきものを書いたりしていました。

母は専業主婦でしたが、父の急逝後、40代後半から、異文化交流や米国地域研究を生きがいにしていきました。学歴は短大卒から学部卒、修士修了になり、その後10年以上、米国留学して2つめの修士号を取得、帰国後に日米の言語表現についての本を自費出版しています。コミュニケーション力が抜群で、今もエレベーターで乗り合わせた外国人と、談笑しながら降りてくるといった具合です。

父は工学部出身のメーカーの技術者で、細かな計算や記録も得意な「ザ・理系」という感じでした。数学クイズや知恵の輪の遊びを私と弟にさせたり、私の数学の課題もときに見たりしてくれました。

理科のなかでも化学に強くひかれたのは、出身の神奈川県綾瀬市立の中学校で「酸素と水素が反応して水ができる」という化学反応を模型で学んだときのことです。原子2つで分子を作っている酸素と水素が、ばらばらになって別のつながりをして、水素―酸素―水素の水分子ができる、と知って「こんなことが起こっているのか！」と感動しました。自然現象の理論的なおもしろさに目覚めて、理系の学びに憧れを持ちました。

高校は県立厚木高校です。クラブ活動は吹奏楽部でトロンボーンに取り組みました。スライドと呼ぶ長い管を動かして音程をつくるユニークさに魅かれて選んだ楽器です。吹奏楽部は体育会系と似た厳しさがあり、そんななかで私は演奏が下手だというコンプレックスを持つようになっていました。そこでプロ演奏家によるレッスンを受けさせてと親に頼みこみ、自信をつけることによって、少しプライドを持てるようになりました。20代前半まで続けましたが、「なにも劣等感のある趣味を、長いこと続けなくてもよかったかも」と後に思いました。粘り強さを身につける機会は大切ですが、適切なときに方向転換する決断力もまた、重要なのですから。

勉強では、数学は宿題が毎日出て、1年生の授業についていけるかどうかで、2年生以降の文理の進路が決まりました。化学のおもしろさは中学時代からずっと感じていたので理学部を志望しました。理系クラスの数学で、一度追試を受ける（2人だけでした）など、数学と物理はぎりぎりだなと感じていました。でもこれがクリアできないと、化学科には進学できませんからね。好きな学びをするためだと自らを励まして、苦手科目に取り組んで、リケジョの道をひらいたという感じです。

もっとも思春期の不安定な心持ちのためか、勉強するエンジンは現役の受験に間に合うようにはかからなくて、浪人生となってから別人のようにがんばりました。予備校に納める数十万円という大金を初めて目にして、両親の支援に感謝しましたし、勉強の細かな計画を立てて力をつけていく楽しさを知って、変わったのかなあと思います。

自分は研究者に向いていない、というショック

　お茶の水女子大学に進学した理由は、他の多くの同級生と同じです。国立大学で、自宅から通えて、実績ある大学を探すなかで、女性には男性にない選択肢があると知ったという具合です。結果的に私は、女子大でとてもよかったと思っています。というのは、私は常識的なことにとらわれがちで、高校生までは無意識のうちにリーダーは男子がするものだと思っていたからです。生徒会長に女子は皆無に近い時代でしたから。それが女子大では「あれっ、委員長の希望者だれもいないの？　じゃあ私、やってみようかな……」と手を挙げるようになったのです。男子が課題レポートを手伝ってくれることもないし、重い実験機器を女子が動かすのも当たり前のこと。もちろん、教員も女性が珍しくありませんでした。ちょうどバブル期で女性の活躍が注目されていたときで、男女の役割分担など意識せずに、伸び伸びと社会へ出ていく準備ができた学部生時代でした。

　研究はおもしろいな、研究職がいいかなと考えたとき、それなら進学したほうがいいとの助言を受けました。女子大はややゆったりしている面があるので、研究バリバリの環境に身を置こうと考えて、東京工業大学の大学院修士課程へ進学しました。専攻は１学年40人で女子は私だけ、

1学年上も同様でした。今思うと、無意識でしたが、男性陣の中に溶け込もう、仲間に入れてもらおうと一生懸命でした。

幸い、担当教員の丁寧な指導は私に向いていたのですが、キャリアの最初の挫折をここで味わうことになりました。実験がうまく進まなかったのです。1年間取り組んだ後に、「残念だけど、巡り合わせもあるものだから、研究テーマを変えよう」と先生に言われたのです。それはもう、大変なショックでした。それまで努力家の優等生で、「下手でも一生懸命やることに意義がある」「がんばれば道は開ける」と思っていた。なのに1年もかけて、がんばってきたのに、中止になるのか……と。でも研究とは、そういうものなのです。その研究対象において「こういうアプローチではうまくいかない」という情報を得たことは、十分に意味があることで、本人の実験スキルもこの間に身についている。要は、本人がそれを辛いと思うかどうか、だけです。

研究は、大学はもちろん企業でも、簡単には進まないテーマを追究します。製薬会社の基礎研究者などでは、「自分がかかわった案件は、定年退職までに一つも製品化につながらなかった」ということもあるわけです。それでもいい、研究に取り組むこと自体が楽しいから、という人こそが研究者になるのだと気づいたのです。

私は研究職に向いていない。私はもっと短期的な活動で、社会の豊かさに直接的につながる、科学技術関連の仕事をしたい。そう思って進路を変更しました。現在のようなウェブ情報がないなかで、科学技術の財団や、理科の教科書・参考書を扱う出版社、技術雑誌の記者などを模索しました。

日刊工業新聞を知ったのは大学の図書館で、でした。朝日新聞、読売新聞のような一般紙と違い、対象は製造業を中心とした産業とその関連の人々です。出版や展示会、教育セミナー、営業など、記者になれなかったとしても、科学技術や産業にかかわれる会社だというのが気に入りました。一般紙では社会部記者が基軸で、夜中にたたき起こされて事件現場に出向くといったハードワークになるため、体力のない私には無理だと考えたこともあります。

この「自分に合っていて、自然体で力を発揮できて、幸せだと感じられるか」という視点は、キャリアや生き方を考えるうえで、とても大切なことです。親や周囲がいいと推すからというのが主な理由で、大学や就職先、結婚相手などを選んでいるのでは、困難に直面したときに弱いのではないかと気になります。もちろん最初からぴったり合うものが見つかるとは限りません。若い人にはあれこれ経験して、挑戦して、場合によっては所属組織やパートナーも替えて、その中から自分の道を見つけ出してほしいと願っています。

それから「社会の役に立つ仕事を」という意識について。父が亡くなったのは修士1年の夏だったのですが、学費免除を受けて学業を続けられました。国立大学でもあり、私たちは公的なサポートを受けて大学にいるのだと意識したのは、そのときが初めてでした。社会に有意義な活動をするという気持ちは、このあたりから生まれたようです。

科学技術と産業の新聞で、記者になる

入社した当時、社員は全体で1400人ほど、新聞にかかわる編集者は管理職を入れて400人ほどでしょうか。女性の記者は1986年の男女雇用機会均等法を機に採り始めたので、上にも数人いました。理系の女性は初めて、修士修了者もごく少数でした。もっとも今は、女性で理系で修士の記者が何人もいます。

希望がかなって科学技術部に配属され、バイオテクノロジーと化学を担当する科学技術の記者になりました。大学や研究機関において最新の研究成果を取材し、それをわかりやすい表現の記事に書き換えて、社会に発信する仕事です。研究の中身にも関心を持ちましたし、社会に影響がありますし、やりがいがありました。こんな仕事ができるなんてと感激しました。

最初はもちろん、記者なんて私に可能だろうかと不安でした。新聞記者には文系でジャーナリスト志望という意志を固めてきた人が少なくありません。タフで負けず嫌いで、ずうずうしいくらいのイメージです。そんなときに会社の幹部に「記者は個性で記事を書くものだ」と言われたのです。特ダネのスクープをはじめ、ニュース記事になるネタを採ってくるためには、法に触れ

ない範囲でどんな方法をとってもいい。泣き落としでもいいし、土下座でもいいし、強気の強面でやってもいい。それはその人のやり方、個性なんだということを言われました。営業職の人に近いかもしれませんね。それだったら私なりのものが、何かできるかなと思ったのです。そのためリケジョの文転（文系転向）という、少数派の部分を生かした自分らしさを意識するようになりました。

理系出身者が、研究や技術以外の仕事で活躍する場面は、とても広がってきました。理系は学生時代の専門が明確で、特徴を出しやすいのが強みです。これに対して文系は、専門性や個性を確立するのに時間がかかりますし、専門性よりは何でもやるというミッションを負うことも多々あるのです。

30代の長いトンネル

30歳のころに企業ビジネスの担当記者に替わりました。化学業界でしたので、会社の担当は初めてとはいえ、雰囲気的に理解できると想像していました。女性記者は少なかったこともあり取材相手にすぐ覚えてもらえましたし、理系出身であるおかげで研究開発の発表などでは信頼してもらえて、有利な面もありました。ですが仕事の難しさは予想以上でした。

相手は一部上場の大企業の社長や役員で、広報担当者も「メディアをどう使ってやろうか」という海千山千の人ばかりです。大学に「先生の研究のお話を聞かせてください～」と、学生気分の延長で行くのとはかなり違いました。掲載後に「こんな書き方をされては困る」とクレームが来ることがあるだけに緊張しましたし、業界の値上げの話や、不祥事ニュースの扱いなど、迷うことばかりでした。

私は、キャリアを続けられないのではないかという不安に悩む状況を、「キャリアの危機」と名付けていますが、まさに最初のキャリアの危機でした。上司はミスや文章の仕上がりに厳格な人で、毎日怒られっぱなし。鍛えられたなあと今なら言えますけれどね。より価値のあるニュース記事を書きたいけれども他メディアとの競争も激しく、胃痛がひどく、薬も効かなくて参りました。

そのころに結婚して、憧れのワーキングマザーになるつもりでしたが、授かりませんでした。子供もいない、記者は向いていないかもしれない。もっと自由度の高い小説家ならいけるだろうかと、仕事の傍ら数年間、小説の書き方講座に通ったり短い小説を書いたりしてみました。

でも結局、元に戻りました。多くの小説家は刺激的なものを創造できる人で、自分はそういうタイプとは違うなと思ったためです。それよりも社会的なセンスに自信があり、科学技術と社会をつなぐ記者に、やはり合っているのではないかと。また子供を持ちたい気持ちも純粋な願いではあるものの、実はエゴでもあるかもしれないと理解しました。夢はどんなに努力をしても、叶わないこともある。大人になるにつれてだれもが実感することですよね。そして前向きに「卒業」することができました。

ある程度の期間、集中的に努力してみて、難しいのなら、「そうか神様は、私をその方向に導こうとしていないんだな。そっちじゃないんだな」と納得して、区切りを付けるという姿勢が身につきました。これが私の30代の最大の収穫です。

専門記者をしながら博士号を取得

国立大学法人化の２００４年前後に、科学技術には強いけれど大学を含む教育分野には手薄だった当社は、新紙面を立ち上げて、私がこの産学連携（科学技術を中心とした企業と大学の協力）という、特殊な分野の担当記者になりました。基本はビジネスの新聞なので、企業は大学をどう利用できるか、大学は社会とどのような切り口でつながるのか、といった視点で取材・執筆します。

私は例えば大学の研究力に重要な若手研究者のポストの問題に対して、学長らに取材に行く一方で、ポスドク（博士号を取得して、任期制の研究職についているなどの博士研究員、ポストドクター）に本音を聞き、文部科学省の担当課で政策の効果を確認し、時には文部科学大臣の会見で質問をする、といろいろな方向からアプローチします。記者は一般的に3年程度での異動が多いものの、10年、20年と同じ担当を続けられる専門記者が社内に数人いて、私はその一人となりました。ちなみに一般紙では科学部の科学担当と、社会部の教育担当に分かれており、両分野にまたがって取材し続けている人はほとんどいません。

産学連携という新分野に自分が入ったことで、もしかしたら新しい知を提示できるのではないか、博士号を取得することも可能ではないかと考えました。そこで、東京農工大学の大学院へ社会人入学をし、産学官連携のコミュニケーションをメディアのコミュニケーションに重ねるという、文理融合の研究をしました。

そのうちの一つのテーマは、大学で生まれた技術で起業した大学発ベンチャービジネス（VB）と、既存の大企業のかかわりでした。私は大企業の新たな事業を切り開く役目を大学発VBが負っているという、それまで言われていなかった仮説を立てました。アンケートやモデルケースの聞き取り調査を、取材と記事執筆という本業に重ねて行い、統計解析で分析して論文につなげました。大学発VBの発明者である大学教員と深い議論をし、大学発VB研究で実績ある経営学の研究者にメチャクチャに批判されながらも、この仮説を実証する熱意を失わなかったのは、私が軸足を科学技術に置いていたからなのです。

博士号を取得して、この領域で仕事をするうえでの周囲の信頼が厚くなったと感じます。大学の研究環境や博士人材の記事を書くときには、当事者だった経験が生かせます。解説記事や社説の記事もそれまでと違った視点から書けます。社会にとって重要な情報を取り上げるのが記者の仕事ですが、同時に自分のよく知るテーマであれば、より思いがこもります。さらに非常勤講師、講演や書籍の執筆、政府の委員会の委員といった社会的な活動の幅が、ぐっと広がりました。私のキャリアは、リケジョのバックグラウンドを生かして専門性を確立したことでつくられてきたのです。

これからの女性に知っておいてほしいこと

それではここから、理系に限らないのですが、女性がキャリアを構築していくうえで気づく必要があると思ったことをお伝えしていきたいと思います。自身の経験と、取材先の女性らとのコミュニケーションで裏打ちされた内容です。

仕事をしていくなかで壁にぶつかることは、男女問わず、また文系でも理系でも必ずあることです。このキャリアの危機のうち、年長になってからのケースに、私は50歳のころに直面しました。そしてこの年代の危機には、男女の経験の違いが影響を及ぼしていることに気づきました。

例えば「私は女性に多い心配性。男性に比べて、落ち込んだら回復に時間がかかる傾向がある」「彼は野球やサッカーなどチームスポーツをやってきたから、組織の一体感を私より重視しているのだな」といった違いが、見えてきたのです。これらは必ずしも男女差ではありませんが、そのように考えることで解決への道が見えてきたのです。

40代から50代にかけて、つまり中堅からベテランに移行する時期は、男女ともに組織から求められる立ち位置が大きく変わってきます。どのようにそれを受け止め、次の段階へ上がっていくのか――。その過程では、仕事のスキルを上げるだけでない、「脱皮」のような変化が多くの人に必要です。ところが女性は少し前まで、男性と同等の働き方をする人が少なかったため、そういった情報が不足しているのだ、と自身を振り返って実感したのです。

男性社会の暗黙のルールという壁

私は企業の中で、部下を持つ管理職にはならず、専門職のキャリアで年齢を重ねてきました。同世代の女性でも比較的早く管理職に就いた人なら、ビジネススキルやキャリアアップを真剣に考える機会が男性と同様にあったことでしょう。私は遅ればせながら、40代後半になって、組織やマネジメント（経営）を取り上げた米国のビジネス書の翻訳本などを、手に取りました。

１９７７年に出版され１００万部超となったベストセラーを土台に、日本の事情が加えられた『ビジネス・ゲーム』もその一冊です。「日本は米国を20年遅れで追っている」とよくいわれますが、女性の社会進出の状況もまさにそうだったのでしょう。その中で「ビジネスは男性社会における、報酬を掛けた本気のゲーム。企業組織に入った女性は、男性社会の暗黙のルールに基づく競争に参加したことを、はっきり意識する必要がある」ということが書かれていました。

男性社会の組織ではすでに、明文化するまでもない暗黙のルールの下で、競争を楽しみつつ、時に本気で争う世界ができています。例えば自分の持ち場を守る、上の指示に逆らわない、だけど時には違反ぎりぎりをするのもアリ。負けても必要以上に落ち込まない、与えられたチャンスは堂々と活かす、などです。それらはいわずもがな、当たり前のことなのです。

ところが組織へ、新参者として入ってきた少数派の女性は、そんなルールを知らないままです。幼いころからの女性社会、つまり母親や先生、女友達とのコミュニケーションで体得してきた暗黙のルール、例えば「コツコツと努力をすれば、誰かが見てくれていてきっと報われる」「みんなのためになることを考えるのが一番大切」といった価値観に基づく行動をとりがちなのです。

もう一冊『なぜ女は男のように自信をもてないのか』という本を紹介します。最大のメッセージは、「女性はもっと自信を持たなくてはいけない」ということでした。

例えば組織の中での昇進の提案を、男性は「自分の能力よりずっとレベルの高いポストだ」と思っても、喜んで受けます。それに対して女性は、客観的にみて能力が十分であったとしても、ためらう人が珍しくありません。実際に、中央官庁の審議官クラスの元官僚で、大企業の役員も経験した女性から聞きました。「昇進を打診して、断った男性に会ったことがない。女性は『私なんてとても……』と言う人が時々いる」と。

これらの本から私は、大きな衝撃を受けました。女性が組織の中で仕事を進めるうえで好ましいとされてきた協調性やまじめさは、小規模のグループをまとめるうえではプラスに働きます。けれども、企業や中央官庁など大規模な組織のリーダーになるうえでは、マイナスに働いているというのですから。

男性は、ものごとがうまくいかなかったときは、自分以外の要因だとしてさっと気分を切り替えます。成功したときは自分の力だと考え、自信を高めていきます。対して女性は、うまくいかなかったときは、「自分のせいだ」と落ち込んで引きずります。成功したときは「運がよかった」とか「周囲のみんなのおかげ」と考えて、感謝の気持ちを持ちます。でも、いつまでもこのような受け止め方でいては、手ごわい壁に挑んで社会を変えようという挑戦意欲が、育たないということなのです。

時に必要なのは能力よりも「自信」

　これらの男女の違いの要因には、社会的な規範や成長過程での環境のほかに、性ホルモンの作用があるようです。男性ホルモンのテストステロンは、闘争本能や力の誇示、スリルを好むことなどにつながっていて、女性ホルモンのエストロゲンは社交スキルや観察力、リスク回避などにつながっているそうです。私が驚いたのは、本の中で「たとえ能力が不足していても、本人に自信があるとそれが態度に表れ、周囲の人を引きつけ、結果的にプラスに働く」と書かれた部分でした。女性の間では、自信にあふれた言動を嫌う人が多いのですが、むしろそういった態度のほうがよい形を作り出せるというのは、いったいどういうことなのでしょう。それは次のような場面の例で理解することができます。

　上司は、部下にいい仕事をしてほしいと期待しています。そんなときに、優秀なのに自信がなさそうな女性と、いま一つの面もあるけれど自信ある態度の男性と、どちらに大事な仕事を任せるでしょうか？　自信を持って堂々とした相手のほうが「やってくれそうだ」と思え、チャンスを与えるのではないでしょうか。

　研究者の場合でも、研究費助成の審査の書類やプレゼンテーションにおいて、審査委員は同様の判断をすることでしょう。つまり能力そのものも大切ですが、「自分にはできる」という自信と態度が、その先の展開をよりよいものにしていくのです。

第8章で登場いただくベンチャー企業のセルシードの社長、橋本せつ子さんは、「勇気を出してやってみれば、心配していたことはどれも、さほどたいした話ではないとわかります」と言っています。重い責任を背負った上場ベンチャー企業の社長がそう言うのです。私たちが過度の不安を持つ必要はありません。

一般に米国人に比べて日本人は、そして男性に比べて女性は、謙遜をよしとする文化で育っています。そういう意味でも、実際の能力より少し多めの自信を持ってちょうどいいのではないでしょうか。

男女、文理、年齢……さまざまな壁をこえて

こうした本や取材先の言葉から、私は危機を脱出することができました。以前は、自分は少数派で専門職だからという思いで、やや勝手をする面がありましたが、組織を支える周囲の人の内面を気づかうと同時に、自分に強い自信を持つように意識を変えていきました。「私は大丈夫。何が起こっても大丈夫」と唱え続ける。批判があることを想定してショックを受けないように

し、「批判も否定も失敗も、ただの仕事の話であって、自分の人間性や価値のことではない」と受け流す。反応しなくてはいけない場面なら、「ご指摘をありがとう」「どうしたらよいのでしょうかね」と返す。失敗しても、反省して対策をとったら、いつまでも引きずらない――。こういった心構えをつくっていきました。

以前ならこういったことを、公の文章にすることも避けていました。えらそうなことを言って、などと周囲に揶揄されるのが怖かったからです。実は先の本の衝撃は、その内容や、もっと早く知りたかったという自分の問題だけではありません。「先に経験した人が声を出さないと、後に続く人が同じ轍を踏んでしまう」「業務以外でも『するべきことをする』という意識を持たなくてはいけない」と、気づいたことも衝撃だったのです。

今、ハラスメントを受けた女性がメディアを通じてそのことを公表し、行動することが目に見えて増えています。思いはそれらと重なります。行動することで、女性だけの問題として閉じ込めておくのではなく、男性を含む社会全体の問題に広げていくということに意義があるのです。「女性だからどうだと言われない社会になるのが、理想ですよね」と取材先の女性に時々、声をかけられます。実は私は少し違う気持ちを持っています。男女がいつも、同じ考え方や行動をする必要はないと思うのです。まったく同じでは、男性だけの社会と変わらないものになってしまって、つまらないことでしょう。

多様性が重要とされる時代ですから、男女、文理、年齢などさまざまなカテゴリーで、それぞれの「らしさ」を生かすのがよいと私は考えます。それぞれの特色を力に変えて、ともに築いていく社会のほうが楽しいと思いませんか。多様性社会の本当の豊かさに向けて、歩みを進めてまいりましょう。

第II部

大学で、企業で。理系女性のさまざまな活躍の場所

第4章 理系女性のマインドとそれを取り巻く環境

理系女性、といっても本当にさまざまです。年齢も分野も所属する組織も仕事内容も研究環境も幅広く、それぞれにプライベートの環境も違っています。本書ではできるだけ多くのバリエーションを拾い、リケジョマインドというものを探っていきたいと思います。

この章では、理系の研究や仕事とはどのようなものがあり、どんな立場があるのかを紹介します。また、理系女性の実態に、数や調査結果、研究者や企業人の言葉から迫っていきます。まずは理系の世界にかかわるとはどういうことかをイメージしてみてください。

4-1 「理系×女性」というまだまだ少数派の存在

理系女性を取り上げる理由

　本書でたびたび登場する「リケジョ」という言葉について少し考えてみましょう。「理系女子（理系女性）」を略したはやり言葉で、改まった公式の場で使われる言葉ではなく、はっきりした定義はありません。学生では、理系の専門の学びをしている大学生・大学院生の女子を中心として、理系の進路を検討中の中高生もリケジョと呼んでしまったりします。社会人の場合、理系の学びを生かした職業に就いている女性や、今は理系的な職種ではないけれど、以前に理系の教育を受けてきたという人などを指すと筆者は考えています。まえがきでも述べましたが、筆者の私を含む「自称リケジョ」でしょうか。

　リケジョ以外にも、ある事柄を好むノリのよい元気な女性を「△△女子」と呼ぶのは、一種のブームです。職業系なら、農業に従事する「農業女子」、土木建設業界の「ドボジョ」など、趣味系なら「歴女（れきじょ）」や「山（やま）ガール」など、当事者や周辺がおもしろがって自称・他称しています。単なる遊びではなく社会的な活動につながるケースも多く、その場合は、「伝統的には女子が好まない、向かないとされていたような活動」でこの言葉を使って認知させ、盛り上げて、社会の応援を得ようという狙いがあるようです。

実はリケジョ、Ｒｉｋｅｊｏという言葉は、本書を出版する講談社が商標登録をしています。理系女子応援サービス「Ｒｉｋｅｊｏ」(https://www.rikejo.jp/) などを運営するなかで、同社が独占的に使える言葉として権利化しています。ですが、広く使ってもらったほうが会社のビジネスとしても、社会にもプラスになるという判断のもと、あまり目くじらを立てないようにしているそうです。

「女子」という言葉は微妙なものです。「女の子」の意味合いを含有しているからです。時代によって使い方が変わる面もあります。現代も「女子社員」「女子更衣室」など大人の女性に対しても使いますが、「女子部長」「女子学長」という呼び方はしません。年長で責任ある立場の社会人を想定する場合は、「女子」でなく「女性」を使い、「女性部長」「女性学長」といった呼び方が一般的になっています。

本書は専門書ではないので、厳密な使い分けはしません。「厳密に定義して対象を狭くするより、あいまいにしておいて仲間や応援団を増やしたい」という思いがあります。ですので、年齢や経験に関係なく理系女性、理系女子、リケジョなどと呼ぶ場面も出てきます。いずれにせよ、理系と女性の2つの円が重なるところ、「理系×女性」に関心のある人々の思いを大切にしながら、本書を書き進めていきたいと思います。

大学や企業、ジャンル別女性研究者の数

それでは理系女性の活躍を表す数字をいくつかの調査から見てみましょう。大学の学部生における データは第５章１節で取り上げることとし、ここでは社会人の状況を探ります。理系の進路として、実際の職業人の数でいうと、病院などの医療・保健系や企業の技術者などが多いのですが、ここでは特定のテーマを持って業務として研究をしている「研究者」でデータを集めました。

まず大学、公的研究機関、企業の研究所などを合わせた自然科学分野の女性研究者数です。総務省の科学技術研究調査によると２０１９年度に15万８９００人が活躍していて、この数は20年前と比べてほぼ倍という大きな伸びになっています。大学生の親世代のイメージと比べると、女性研究者はかなり増えているといってよいでしょう。

次に大学における自然科学系の教員採用数を、２０１６年度の数字で見てみます。採用全体における女性の比率は27・５％です。男性２～３人に女性１人というわけですから、それほど女性が少数派ではないことがわかります。ただ分野による差は大きくなります。分野別では多い順に、農学系が25・７％、医歯薬学系が24・７％。これに対して理学系が17・５％、工学系となる

と10・1％になってしまいます。同じ理系でもこんなに違いがあるのですね。

次に日刊工業新聞社が毎夏に実施している「研究開発（R&D）アンケート」の調査結果を紹介します。このアンケートは、東証一部上場企業を中心に研究開発に力を入れる有力企業200社超を対象として行っているもので、2020年度の調査では初めて、研究職における女性の活躍推進について尋ねました。企業の研究所で働く研究者の状況です。有効回答208社のうち、研究職の女性比率が「1割以下」と回答したのが57・7％と過半数でした。「約3割」は38％、「約5割」が4・3％で、「6割以上」はありませんでした。「約5割」と回答した企業は「医薬・トイレタリー」分野に集中しており、この業種23社中の8社にあたります。

あわせて研究職の女性採用増を意識しているかを聞いたところ、有効回答216社のうち「意識している」が63・9％、「意識していない」が26・9％、「その他」が9・3％でした。2つの設問を合わせて、「現状は1割以下」だが、「採用増を意識している」と回答した企業が多い業種は、「家電・部品」「産業機械・造船・車両」「工作機械、その他機械」「自動車・部品」「鉄鋼・非鉄金属」などの分野でした。どうでしょう、なんとなく女性研究者の職場の状況がイメージできたでしょうか。

男女に違いはない？

今の時代に、「女性は男性より劣っている」とあからさまに口にする人はいません。昔と違って差別的発言に厳しい目が向けられる社会になってきたからです。逆にいうと本当のところの意識が見えにくくなっているともいえます。例えば日刊工業新聞のＲ＆Ｄアンケート結果では、女性の管理職を増やすための施策を展開する企業が目立ちましたが、そうでない企業も多数あります。私はアンケートの集計を手掛けるなかで、回答の中に「男女とも同等に扱っている」「双方に違いはない」といった表現が散見されることに気づきました。これは「積極的に女性を応援するつもりはない、という意味で言っているところもあるのだな」と想像しました。

男性と女性の違い――。違いがある、ない、という発言自体、微妙な面もあります。これに対して第1章で登場いただいた東北大学教授の大隅典子さんに聞いてみました。大隅さんは神経科学の研究者としてこのことに詳しく、「性差を科学的に扱うことは、以前はタブー視されていましたが、今は問題ないとされています」と説明してくれました。

かつては「女性の脳は、男性の脳と違って劣っている」といった説が、きちんとした科学的な研究結果がないままに、広まりやすい状況にありました。そのため、こういった問題を取り上げること自体が、避けられる面がありました。けれども近年は、科学的な研究手法やデータ処理をしたうえで、きちんとした形で議論されることが増えてきました。そうしてみると、男女の発達段階での違いは大人になるとほぼ解消されるなど、極端な優劣はみられないということもわかってきました。過度に心配をせずに、科学的にどうなのかを議論する土壌が整ってきたというわけです。

男女差が科学的に解明されていけば、違いは違いとして明確になり、能力的に差がない部分は同等にとらえることができるようになるでしょう。「男女を同等に扱っている」とあえて意識しなくても、無理なく男女とも活躍できるようになるかもしれません。リケジョにとっては、がんばりがいのある時代になりつつあると期待します。

理系でこそ女性が必要なわけ

女性が研究・開発の現場で活躍することは、社会や企業が男女の違いに配慮する視点を導入する意味でも重要です。よく知られているのは成人男性の体形に合わせたシートベルト開発の例です。妊娠中の女性が使うには危険だったり、乳がん患者は手術後の痛みで装着できなかったり。一つの価値観ではわからないことが社会には多々、あるのですね。ですからさまざまな「ユーザー」（使い手）の事情を、多様な人がかかわる開発現場が想像することで、魅力的な製品が生まれてくるといわれます。

近年は生物学的な性の違いに基づく性差医学、性差医療も注目されています。医薬品開発の際に行う動物実験は従来、月経周期がなく一定条件でデータを収集できるオスを使ってきました。

けれどもその後、薬の効き方や副作用の出方に性差があるケースがいくつも出てきたのです。

例えば女性に多い骨粗しょう症は、通常の診断法では男性患者を見逃してしまうおそれがあるそうです。大腸がんや心疾患の検査でも、男女の発症の場所や形態が違うといいます。血管の狭窄（きょうさく）は男性だと部分的に発生することが多いのですが、若い女性では全身で起こりやすいそうです。こういった違いはホルモンの影響が大きく、これからは遺伝子レベルでこういったことを解明する研究が必要となってきそうです。

テレワークは育児女性の追い風になる？

２０２０年の新型コロナウイルス感染症の流行に伴い、生活が一変、ニューノーマルという言葉も聞かれるようになり、新しい生活スタイルを模索することにつながりました。その変化のうち、女性にとってもっとも影響が大きいのは「テレワーク」（遠隔勤務）かもしれません。インターネットを介して自宅で業務を進めるテレワークを工夫すれば、仕事の効率をさほど落とすことなく働きやすくなることが見えてきました。組織としても、格別なコストをかけずに働き方を変える可能性があるので、利点が大きいかもしれません。

大学の女性研究者は、出産後研究現場から長く離れると論文業績が目に見えて低下し、キャリア継続が難しくなります。そのため育児休業（育休）の取得期間を、比較的短くして職場に戻ります。夫婦の役割分担は各家庭で考えることですが、よほど意識しないと女性に負担が偏（かたよ）りがちです。ところが、です。「テレワークがうまく回れば、育児女性も育児男性も比較的、自然な形で研究と育児・家事の両立ができる」と、多くの大学人が気づいたのです。

企業の場合は、育休を取る女性社員は数ヵ月から場合によっては数年、職場を不在にすることになり、その分を職場の他のメンバーでカバーすることが多いでしょう。近年は、育休を取得する人が急増して現場から悲鳴が上がることもあります。

そういった意味で注目されたのは2014年の「資生堂ショック」です。化粧品メーカーである資生堂が、子育て中の美容職社員に対し、それまで免除されていた遅番や土日勤務にもシフトに入るようにと方針を転換したできごとです。それまで子育て中の女性に優しい印象だった企業が、一見、女性に厳しく見える方針を打ち出したことに、大きなショックが走ったのです。これにはさまざまな反響があり、悪い面だけでなく、工夫してやりくりできるなら育児中の女性の活躍の場を増やす意義もあるなど、議論のきっかけになった出来事でした。そのような企業の取り組み、家庭での協力など働く環境を改善しようとする試みがされるようになっていますが、なかなか簡単な問題ではありません。

ところがテレワークになるとどうでしょう。一挙に解決というほどではありませんが、どのような事情を抱えていても、各人は時間をそれなりにコントロールできるようになります。場合に

よっては、都心への往復3時間といった通勤時間が浮いた分を、学びや語学修得といった自己啓発や、趣味の充実に回すことさえできるのです。だれかにしわ寄せがいくのではなく、多様なワーク・ライフ・バランスが実現できる可能性が出てきたのです。

これによって「女性の上位職を増やそう」という、企業の人事施策でのジレンマも解消できるかもしれません。というのはこれまで、育休を取得した女性は、そうでない社員より実務経験が短くなり、出産が続くと何年にもわたるため、昇進が遅くなってしまっていたのです。ポンプや半導体製造装置の製造企業、荏原製作所の業務革新統括部長の植松暁子さんはこう言います。「以前は育児休暇の取得を奨励していましたが、キャリア継続の点でいうと早期に復帰することが望ましいのです」と。出産後に長く休まずにテレワークで働けるのなら、その後の登用のチャンスはこれまでより高まってくることでしょう。

子育て中でも、そうでなくても。男性でも、女性でも。病気を抱えていても、身内の介護が必要であっても。組織の「働き方改革」においてテレワークが切り札になることは間違いありません。

4-2 大学や企業における理系女性の居場所

理学部と工学部

文系・理系という言葉は、教育や研究、人の能力などを大きく二分する考え方に基づいて、社会で一般的に使われている言葉です。学問の世界では、人間社会の姿を研究対象とする分野の集まりを「人文・社会科学」系と呼びます。一般的な言葉でいうと、文系または文科系に当たります。自然界の仕組みを土台とする分野の集まりを「自然科学」系と呼び、これが理系または理科系に当たります。

理系のなかでは、医学部や薬学部に比べると、理学部と工学部は具体的なイメージがわきにくいかもしれません。そこで科学とは、技術とは、といった視点で解説します。

「科学」（サイエンス）とは、適切だとされている手法（科学的手法）を使って、この世の中のさまざまな現象、事象を明らかにする研究活動や、その内容を指します。

「研究」とは、ものごとを深く調べたり考えたりして、一般的にまだ知られていない知識や現象やその基となる理論などを明らかにする活動です。世界がどのようになっているのか知りたい、という知的好奇心に基づいて取り組む「学術研究」と、「このような課題を解決する方法を導く」といった目的に沿って進める「目的型の研究」などがあります。

また研究の大きな手法としては、多様に思われる自然現象をすっきりと理論や数式で表現していく「帰納（きのう）」と、理論や数式を使って現象を予測する「演繹（えんえき）」の2つがあります。

自然科学系では、「基礎研究」と、「応用・開発研究」「実用化研究」という言葉もよく耳にします。後々役に立っていくものの、最初は何に使えるかわからないものが多い基礎的なテーマを追っていく基礎研究から、そこで生まれた結果を応用し、実際に使える形へ発展させる開発を行う応用・開発研究、そして実用化に必要な最終的な詰めを手がける実用化研究、という流れで社会につながっていくためです。「基礎」と「応用」というざっくりした言い方をされることもあります。

「技術」というのは、モノをつくったりサービスを提供したりするための技、テクニックのことです。研究で生まれた科学の知を、社会的な価値につながる産業や医療などの現場で役立てるようにするうえで、技術は欠かせません。そのため両方をあわせて「科学技術」という言葉が広く使われます。

「工業」はある原料から有益な目的物を作り出す産業のことで、経済活動といわれるビジネスの一つです。会社の全従業員に給与を払って、会社設立時にお金を出した出資者にも配当として還元するには、大きな利益を生み出す必要があります。自然現象の仕組みを明らかにする「理学」の研究成果を基に、有益なモノを大量に製品化する「生産技術」を制御（コントロール）するための学問が、「工学」となります。工学の中にも基礎的なものがあり、それは理学と似ています。が、基本的には大学の工学部の研究者は、理学部の研究者より産業界と近い立場に位置しているのです。

研究者、技術者、学者、科学者、教員

リケジョの進路の一つ、研究にかかわる仕事を、その職業を示す「研究者」「技術者」「学者」「科学者」「教員」などの言葉で解説しましょう。似ているけれど少しずつ違い、どちらにも当てはまるような立場もあるので、とりあえずなんとなく雰囲気がわかれば十分です。

「研究者」は研究をする人を指し、広く使われる言葉です。研究者がもっとも多くいるのは「大学」です。「公的研究機関」にもそれなりに多くいます。公的研究機関というのは、国立であれ

ば文部科学省関連の「理化学研究所」や経済産業省関連の「産業技術総合研究所」などがそうです。宇宙のニュースなどでたびたび登場するＪＡＸＡ（宇宙航空研究開発機構）なども有名です。他に小規模な都道府県立の研究所もあります。企業の研究所にも、研究者はいます。

いずれも研究活動によって、多様な「知」を生み出し、「学会発表」や研究「論文」を通じて、その知を社会と共有することが役割とされています。大事な事柄に対して、それを要素に分けて性質や構造を明らかにする「分析」は、一般社会でさまざまな人が手掛けます。が、現象の原因を探し当てるなど、理論的に研究する「解析」となると、研究者など専門の人材が行うことになります。

同じ研究者でも、自然科学系の学びを生かして、実社会（概念的な学問の世界とは異なる実際の社会）で活躍するとなると、大学や研究機関ではなく、実際のビジネスを手掛ける企業に就職することになります。その場合の選択肢の一つが、「研究開発職」という枠組みの中で、基礎や応用開発の「研究者」になることです。企業では大学の研究者と似た基礎研究者より、開発研究者が多くなります。

もう一つ、企業での大きな枠組みが「技術職」で、顧客（企業や個人のお客さま）がモノやサービスを使えるよう、技を生かして活動する「技術者」になるというものです。

「学者」というのは学問をする人、ですが、「学問」とはさまざまな知識や理論が、大きな枠組みの中に体系づけられた、つまり関連を持って位置づけられた全体像を示します。もちろん文系も理系もあり、工学、医学、経済学、心理学など「△△学」で分けていますが、境目がはっきりしていない領域もあります。ここでは知識や理論を見つけたり位置づけたりすることに重きが置かれていません。社会において、それらが活用できなくても問題とはされません。こういったタイプの大学の研究者は、社会と少し離れた立ち位置で活動していて、「アカデミック」（学究的）とも称されます。公的研究機関も伝統的にはアカデミックのグループに入りますが、利益を追求する企業の研究者は含まれません。また「科学者」（サイエンティスト）という言葉もあり、これは自然科学系の学者という意味合いで使われる傾向があります。

最後に「教員」というのは、学校を通じて人を育てる教育（人材育成）をする人を指します。大学は教育機関であり、同時に研究機関でもあります。そのため大学の教員の主な役割は「教育」と「研究」です。授業やゼミナールなどの活動が中心であれば「教育者」の色が強い教員で、研究をして成果を論文で発表することを重視している人は「研究者」の色が強い教員といえますが、はっきり分かれているわけではありません。職位が高い順に教授、准教授、講師、助教、助手となります。教員は、研究室に所属する大学学部生（学士課程学生）の「卒業研究」、大学院修士学生（修士課程学生）の「修士研究」、大学院博士学生（博士課程学生）の「博士研究」の指導をします。これは研究を通じて学生を教育する活動と位置づけられます。

なお大学や公的研究機関においては、「研究者」といった時に教員とは違う立場の人もいます。博士課程を終えて「博士号」を取得後に、特定のプロジェクトの予算によって研究活動の業務に携わる「博士研究員」（ポストドクター＝ポスドク）と呼ばれる人が代表です。大規模で、研究重視を打ち出す国立大学などに多くいます。

また博士学生は学費を納めて指導を受ける「学生」ですが、実際には研究の論文を教員と連名で発表するなど、プロフェッショナルな研究者と同等の活躍をすることがよく見られます。そのため「若手研究者」という言い方をしたときには、若手教員、ポスドクとともに博士学生を含むことが多い、という点に注意してください。本書でも第7章では主にこの3種類の研究者を想定し、第6章では学部生と修士学生向けの話を中心にしています。

リケジョブームを経て見えてきた、理系女性に大切なこと

２０１４年にＳＴＡＰ細胞事件というものがありました。国立研究機関である理化学研究所（理研）の研究者らが、遺伝子導入をせずにすべての生体組織に分化できるＳＴＡＰ細胞を作り出したと、英国の一流科学雑誌「ネイチャー」に論文を発表したことが、ことの発端でした。論文筆頭著者でユニットリーダーを務めていた研究者が当時30歳の女性であるということでも注目され、メディアも過度に盛り上がってしまいました。ところがまもなくその論文の不正が認定さ

れ、取り下げとなったのです。

その当時はリケジョのブームが起きつつあり、「リケジョのブームを盛り上げるヒロインだと思っていたのに、とんでもないことになってしまった」と残念がる言葉を、複数の理系女性研究者から聞きました。そして、「リケジョだなんてチヤホヤされすぎてしまった結果であり、そういう扱いはあってはいけないことだ」と厳しい声もあり、このような意見は男性研究者だけなく女性研究者からも多く聞かれました。理由は「まだ研究者として成長の途中で中身が十分でないのに、ブームに乗せられて、研究とは関係ないことでアピールすることはよくないのではないか」ということのようです。確かにブームは、実際の中身以上に人気が集中している状況ですから、必ず終わりが来ます。反動で、それまでの活動を批判されたり、過度に不人気になったり、マイナスの現象が起こることも多々あります。ブームに乗りすぎないように気をつけるのが賢明でしょう。

このように年長者が若者に厳しいということは、どの世界にもあることかもしれませんが、女性研究者には、「リケジョ」という言葉そのものが嫌いな人も少なくないように感じます。研究者には元々、誠実で堅実な人が少なくありません。年長の女性は多かれ少なかれ、男女差別の激しい時代を必死に生き抜いてきたのです。それだけに内容が伴っていないのに軽いノリで「女性」を売りにするということを嫌うのかもしれません。

筆者が初めて理系女性の取材を企画したのは30歳のころでした。まだ少ない女性研究者の研究や人柄を紙面で紹介することは、研究にとってもプラスになるだろうと思ったためでした。実際に取材に回ってみると、「女性だからと取り上げられるのは心外だ」といった反応をする人が、少なからずいて驚きました。「私は努力して、実力で教授の地位を勝ち取ってきた。女性だからと優遇されたのではない」という気持ちがあったのだと、今ならよくわかります。どのような活動もそうですが、すべての人が喜ぶとは限りません。相手の反応を見ながらコミュニケーションしていくことも、もちろん理系の世界に限らずですが、心にとめておきましょう。

とはいえ、リケジョブームも悪いことばかりではありません。メディアに出ることも、ウェブで発信することも、それを上手に活用すること自体は悪くありません。自分のキャリアにも、自分の研究分野を取り巻く環境などにも、いい影響をもたらすことができると思います。

理系ならではの企業での働き方

大学でも企業でも、社会人として仕事をしていくとき、意識することの一つとして「ゼネラリスト」か「スペシャリスト」かという問題があります。総合的に幅広く仕事をこなせる能力を持つ「ゼネラリスト」と、高い専門性で仕事をしていく「スペシャリスト」。大学では事務職員がゼネラリストなのに対し、教員は研究者兼教育者のスペシャリストです。「大学は高度専門家集団。上が少数で下が多数の、企業のようなしっかりとした『ピラミッド型の組織』になっていない」といわれるのは、そのためです。

企業では業種によりますが、メーカーでみるとゼネラリストの多くが文系の「事務系」、スペシャリストは理系の「技術系」に大別されます。

事務系は、社内外の人を相手に仕事をします。「営業職」であれば、利益の多いモノやサービスを売る能力に長けた人が高い評価を得るわけですが、顧客との相性、上司や部下との相性が影響するなどして、客観的でだれもが納得する評価には、必ずしもならない面があります。

これに対して技術系の仕事には、前述したように「研究職」や「開発職」「技術職」（エンジニア）などがありますが、専門性を高め、企業の次の事業につながる技術を発明したり、機器を操作したり、モノやサービスのビジネスを軌道に乗せたりする仕事にもかかわります。論文や特許といった客観的な指標があり、仕事のなかで人間関係に多少なりともかかわる部分の占める割合が事務系ほどは高くないため、比較的公平な面があります。

若手から中堅になる段階では、各人が能力を上げ、組織における存在感を高めていきます。ところが40代に入り、50歳を超えるころまでに、多くの人に転機が訪れます。組織を動かすのに具合のよい大企業のピラミッド型組織では、部長から役員にかけての上級管理職を、さほど多く必要としないためです。そのため上級管理職には進まない、課長などの中間管理職の社員が、キャリアを社内で発展させることが難しくなるのです。これは事務系ゼネラリストの大半が直面する大きな出来事です。

ところが技術系スペシャリストは、少し様子が違います。研究から事業開発などに職種を替え、ビジネスとしても成果を出せば、ゼネラリストである役員への道が開けますが、上級管理職にならなくても別の道を探しやすいのです。学会でも名前の売れた研究職で博士号を持っていれば、大学の教授職への転職もあながち夢ではありません。技術者でも右に出る者のいない強みを持っていれば、中小企業の技術担当役員になったり、仲間とベンチャーを起業したり、独立して技術コンサルタントになったりする人が少なくありません。定年退職の年齢を超えても、働き続けられる道を切り開けるのです。

また、大企業では子会社に出向することもあります。事務系で出向というとあまりいいイメージで受け取られない面もありますが、技術系ではそうなってもまた新たな研究に取り組めるのであれば、高いモチベーションを保てる可能性もあります。

ＩＴ関連の技術者であれば、専門的にＩＴシステムの経験を積んだうえで、さまざまな業種の中堅企業のＩＴ部門へ転職していく、といったことも30代くらいの若い時期から見られます。スペシャリストは、こういった社内外の先輩のキャリアの様子を目にしながら、自らの将来の展開を思案していきます。

長い仕事人生をイメージできる、先輩リケジョを見つけていく

そういった意味でロールモデルの存在は大切ですが、先輩モデルが身近にあまりいない理系女性は、将来のポジションを考えるときに注意が必要です。理系女性が増えてきたとはいえ、まだまだ少数派の会社も多いと思います。

そういう会社では、理系女性は一般に少数派で目立つので、担当役員にかわいがられたり、活躍のチャンスを与えられたり、周囲から特別扱いされることもあるかもしれません。それでも若いうちはあまりやっかまれません。理系女性は異質な存在として、いい意味であまり気にされない面があるように思います。多数派の文系女性にとっても男性にとっても、外国人や特殊な技能をもった社外出身者にはあまり競争意識が働かないことがありますが、それと同様なのかもしれません。

それが40代になって中堅からベテランに移る段階で、組織の中での立ち位置が変わってくるようです。さまざまな人から聞く経験談によると、文系女性は人数がそれなりにいて、若いころから女性同士のコミュニケーションに悩んだり、組織内の立ち位置を考えたりする機会が多くあります。ところが理系女性は、あまりそういうことに巻き込まれず過ごしてきたので、組織の人間模様に気づきにくく、また、身近にモデルがいないため、年齢を重ねたときのことをイメージし

にくいそうです。

組織には肩書を上げることをキャリアの目標に据え、意に沿わない異動や、上司の言う無理も引き受けてきた人が少なくないと感じます。その中で、人間関係の苦労も少なく、なんとなくのんきにも見える少数派のリケジョは、古いタイプの男性から嫉妬の対象になるなんてこともあるようです。専門性に磨きをかけ、人間関係のいざこざに距離を置いてこられたのに、今度はそのことが憎まれる要因になるかもしれないのです。出世競争に巻き込まれずにすんでも、上司が年下になり「扱いづらい年上の存在」とみなされるようなことも起こり得ます。

これは組織の中でマイノリティーのまま育ってきた人、スペシャリストに起こりがちな現象です。どのように脱皮や転身をしていくかを学び取るチャンスがなく、年長になって気が付いて、途方に暮れることになるのです。少しおどかしすぎたかもしれませんが、体質が変わってきている企業もあり、これからの時代はこういったことも少なくなるかもしれません。

とにかく先輩リケジョたちも、身近にロールモデルを持つことの大切さを口にしています。「理系女性の先輩モデルがいない」という不安の声をよく耳にしますが、それは同じ組織の同じ部署にいないだけのことです。少し目を外に向けてみれば、今の社会にはそれなりに存在しています。

また、さまざまなインタビュー記事を読んでみることもおすすめします。特に将来はゼネラリストでもスペシャリストでも「リーダー」を目指したいと思うなら、多くの実例が参考になるでしょう。大企業の役員クラスの女性の数は文系だけでなく、理系女性も急増しています。大学の現職学長も、見渡すと何人も出てきます。大企業役員候補から大学教授へ転身したケースや、上場した技術ベンチャーを率いる社長も存在します。それぞれ、どのようにして自信をつけてきたのでしょうか。本書でもいくつかそのケースを取り上げているので、悩める理系女性の指南役となってくれるに違いありません。

第5章
理系の第一歩、大学選び

理系の道に進むかどうかを決めていこうとする中学から高校時代は、とても重要な時期です。多くの中高生がスマホを持ちパソコンを使いこなす今の時代、インターネットでさまざまな情報を得ることができるので、悩んだときにはどんどん調べてほしいと思います。ただ、情報にも信頼できるものとそうでないものがあるので、それを見極める力をつけることも大切です。

ここでは、インターネットでは出てこない、筆者が取材した生の声や、なかなか見えにくい部分、大学の学部の教育方針がどう変わってきているかなどを紹介していきます。どのように進路選択を考えていけばいいのか、参考になればと思います。女子だから男子だからと、ひとくくりに言えるわけではありませんが、それぞれ傾向というものはあるものです。特性をとらえてうまく生かしていきたいものです。

「自分」と「時代」の特性を知って生かす

リーダーシップを発揮する女子が増えている?

「女子学生はまじめで、がんばり屋で、優秀ですね」。これは以前から、どの大学、どの学部においても、共通して教員が口にする感想です。会社など組織における新入社員、若手社員などの女性に対する評価も同様です。さらに今回、筆者は取材をして回るなかで、「男子より女子が元気で、優秀で、リーダーシップも発揮している」という、高い評価を何度か耳にしました。中学生まではあまり男女差がないのですが、高校生になると女子のほうがグループでもリーダーを務めるようになる、という話も聞きました。大学では、女子が比較的少ない、自然科学など理系の分野でもリーダーシップを発揮する女子が顕著に増えているようです。これは今回、取材を始めた時点での筆者の私には、意外なことでした。

ある私立大学の女性教授は、「女子は自らあれこれ考えて取り組むのに対し、男子は深くは考えずに指示されたように取り組む傾向がある」といいます。周囲をよく見ている女子に対して、男子はもともと単純なところがあります。最近の男子は「男らしくリーダーシップを取らなくてはいけない」といった伝統的な考え方は薄くなっていて、「女子がやってくれるなら、楽でいいや」と考える傾向がみられるようです。別の地方国立大の男性教授は、自身の研究室の様子から、「元気な女子がいれば、男子がついてくるので安心だ」といいます。

要因は特定されていませんが、それぞれの時代の親子関係や男女の社会的活躍度などが、子供の教育に影響しているのでしょう。社会では年数を経てもなかなか変わらない部分と、急激に様子が違ってくる部分があります。女子の積極性や活力は、親世代や祖父母世代からすると、かつての自分たちの実体験とは驚くほど変わってきているのです。

この時代こそ奨学金制度をうまく利用

昔から中高生が進路を決める要因として大きなものに、親の影響があります。特に大学進学を考えるとき、以前よりは親の職業の影響は小さくなっていると思われますが、まだそれなりに大きいといえるでしょう。親の職業による収入も実際のところ違いますし、どうしてもその職業なりの考え方というものがあるからです。

一昔前までは教師や医師、農家や自営業、役人や政治家といった職業は、親から子が継ぐことが多くありました。子供たちは自然にその道に進み、また親もそれを歓迎する流れだったのです。今の50〜60代ではその傾向は残っていて、今回取材した年長の理系大学教授の女性は、かなりの割合で「学者の家系」である印象です。第1章の大隅典子さん、第2章の大島まりさんも、父親が理系の学者です（大隅さんは母親も理系の学者）。まだ大学への進学率がさほどでないころに、理系で大学院の博士課程修了まで志す女性は、学者が身近にいる環境で育った人が中心だったのでしょう。学者ならずとも、父親が技術者など理系だというケースが、リケジョでは多いかもしれません。私の場合もそうで、大学院の修士学生時代に父は亡くなりましたが、どうも娘の理系進学を喜んでいた節があることを思い出します。

一方、子供がより上の学びを望むことに、戸惑いを感じる親もいます。２０２０年度に東京工業大学が創設した新たな奨学金で、両親が4年制大学卒でない学生を支援する計画を取材したときに、その状況を知ることとなりました。最初、この奨学金の計画を聞いたときは、あまりピンときませんでした。というのは、今の時代は大学進学率も高く、東工大に関しては、親が大学教授であったり、大企業の研究者・技術者であったりという学生がさほど珍しくないような、恵まれた家庭環境の学生が多いと聞いていたからです。そのため、この奨学金にニーズはないのではないか、と思ったのです。

ところが確認してみると、今の18歳人口のうち大学への進学率は、短大を含んで50％強なのです。高校生の半分しか大学に進学しておらず、その親の世代はもっとぐっと進学率が低いのです。そのため親が、「自分たちは高卒でもちゃんと仕事をしてきた。無理をしてお金をかけて大学に進学する必要などない」と子供に言うケースもあるのでしょう。また都市部での進学率は高いものの地方では低く、とくに女子にその傾向がみられます。

将来は研究者や技術者になりたくて、東工大に合格する実力もある高校生が、親や地域の考えによって進学しづらいのは、辛いことでしょう。でも、そこにこの奨学金があればどうでしょうか。「うちみたいな家庭にぴったりの奨学金を用意して、応援してくれているのだから、私はここに進学する」という生徒が、出てくるのではないでしょうか。

２０１８年度のデータでは、日本の全学生の半分近くが奨学金を受けています。返済する必要のない「給付型奨学金」は、収入制限がありますが、社会人になってから返済する「貸与型奨学金」は、国公私立大学いずれも多様なものを用意しています。「大学に進学するのは難しいかな……」と思う家庭でも、最初からあきらめないでください。さまざまな手立てを探すことから、夢は動き始めるのです。

「文系か理系か」から「文理融合」へ

中高生が進路を考えるとき、文系と理系のどちらに進むかは、得意、不得意の科目が一つの参考になるでしょう。ですが、それだけに惑わされてはいけません。本質的なところで文系か理系かを考えるべきで、そのためには各個人の好きなこと、関心ごとに注目するのがおすすめです。

複雑で多様、だからこそおもしろい「人と社会」に関心がある人は、文系的なセンスが高い可能性があります。研究では観察やデータ収集の手法で、重要な情報を集めて分析し、「社会において人間はこういうことをしている」という知を導きます。人の感情、人の営みで構成される社会が好きで、書いたり話したりするのが得意な人が多いでしょう。

これに対して「合理的な自然界の現象」など、筋道が通って納得のいく世界が好きな人は、理系的な考え方が優勢な人といえそうです。研究では実験や、数式を使ったコンピューター計算によって、「この現象はこんなメカニズム（仕組み）で起こっている」と証明。その仕組みを使って新たなモノやサービスをつくりだします。理論的な話や合理的なことと、それらを発展させたモノや仕組みが好き。あれこれ試すのが得意です。

モノを作る「製造業」や、ITサービスの「情報通信業」の企業においては、自然科学を基にした技術でモノやサービスを開発するのは、主に理系です。実際に工場でモノを生産したり、モノの故障を修理したり、うまく作動するよう調整する「メンテナンス」サービスに携わるのもそうです。対してモノやサービスを顧客、つまり「ユーザー企業」や「一般消費者」に対して売るのが文系。広告宣伝の企画をしたり、販売の売り上げや利益を計算したりするのも文系です。おおざっぱにいうとそんな役割分担になります。

けれども近年は、文系と理系の壁を低くして、両方の知識を融合させようという「文理融合」が人気を集めています。同時に研究の世界でも、研究の各分野の壁をなくす「分野融合」が注目されているのです。

研究は元々、専門の分野を細かく分けて、狭い領域を深く深く追究していくことが主流でした。ですが、20世紀の科学技術の大きな発展により、大きな研究をやり尽くした感じも漂っていました。ところが2つの分野を掛け合わせて一緒にすると、まだほとんど研究されていない、そして社会においても有用な新たなテーマがどんどん生まれてくるではありませんか！　例えば病後のリハビリテーションをサポートするロボットは、医学と工学の掛け合わせです。離れたところにいる患者と医師をつないだ遠隔診療なら、医学と情報科学の掛け合わせです。これらは理系同士での分野融合、学際融合ですが、文と理の融合のケースも含め、研究すべきワクワクするテーマが続々と出てくることから、融合が大事になってきたのです。

文理融合の場合、経済学や心理学などを専門とする文系研究者と、工学や医学などを専門とする理系研究者が、共同研究でともに活動する方法があります。ただ文と理の研究者の特性が違いすぎると、苦労が多くあまり進まない傾向があります。もう一つは、一人の研究者が文系分野と理系分野の両方を学んで、研究を進める手法です。例えば学部は理系で、大学院で文系の学びをした一人の研究者が、新たな分野をリードすることが目立ちつつあります。私の場合は大学院修士課程までは化学を修め、社会人での博士課程では社会科学的な研究に取り組みました。学びとしてはもちろん大変ですが、おもしろい展開が期待できるのです。

中高生向けのイベントにヒントが

日本政府の役割は領域ごとに担当の省庁が分かれていますが、横断的な立場にあるのが内閣府です。内閣府の男女共同参画局は、社会のあらゆる領域の女性活躍を後押ししています。日本の学術や科学技術の活性化においては、まず女性研究者・技術者の数を増やすことが重要だという認識で、将来の担い手となる女子小中高生や女子学生の理系進路選択を応援しています。

目玉は「リコチャレ」の愛称で知られる、理工チャレンジです。趣旨に賛同する数多くの企業や団体が夏休みを中心に、大変な数の理工系のお仕事体感イベントを開いています。2020年のように残念ながら新型コロナウイルス感染症の対応で中止になってしまった年もありますが、2019年の夏には、約100団体による約180のイベントに、約3万6000人が参加したそうです。

内閣府の2019年度の調査「地域における理工系女性人材育成事業の効果的な実施方法に関する調査研究」の報告書をひもといてみましょう。長崎市や千葉県木更津市など10の地方都市の自治体に、小中高の女子向けの理工系進路選択を後押しするイベントを開催してもらい、その効果を参加者のアンケートからまとめています。

まず、「イベント参加で学習に関する考え方や行動が変わったか」ということについては、低年齢ほど科学に対する見方が変わるようです。イベントに参加する高校生はすでに、理工系進路選択を固めている生徒が中心になってくるので、イベント参加によって急に、進路選択が変わる感じではないようです。

ただ、イベントの中で、理工系分野で活躍する女性研究者らによる「講演」に対しては、5段階評価で最上位の「関心を持った」のは小学生の32・2%、中学生の43・9%、高校生の66・0%と、高学年ほど関心が高いようです。「やや関心を持った」と合わせると、高校生では96・2%にもなり、理系のなかで何を目指すのかを、より考えるようになるのではないでしょうか。

イベントでは実験教室、つまり指導者の下で参加者が自ら手を動かして実験に取り組むプログラムもあります。科学に基づいた結果を実体験することで、実験のテーマへの理解も深まりますし、「科学技術ってこんなふうな感じなんだ」「もっと学んでみたい」という動機づけになるといわれています。この実験教室に対しては、小中高のいずれでも7割前後が参加後に科学に「関心を持った」と答えました。

報告書には、女子の理工系進路選択の後押しとしては、幅広い年齢対象のイベントには実験教室を、おもな来場者が高校生なら理系女性の講演を取り入れると、それぞれ有効だとまとめられています。そういったことも参考に、参加するイベントを選ぶといいでしょう。

大学も独自の支援活動を展開しています。東京都世田谷区の東京都市大学はその一つです。女子比率は理・工・生命科学系全体でみると4分の1、多い学科は3分の1とまずまずです。東京都市大のダイバーシティ推進室では、将来の同大の女子志願者を増やす期待と、大学の社会貢献の両面から、地方都市におけるリケジョ育成の活動を進め、教育委員会と組んで、地元企業の研究所などを女子生徒に見学させる取り組みをしています。工場見学のようなものとはまた違って一歩踏み込んだ雰囲気の伝え方をしています。

女性は大人になっても、実家近くの住居や職場を選ぶケースが少なくありません。地元の大学、教育委員会、自治体の商工部門や地域の経済団体、その地に工場を置く企業などは、優秀なリケジョが地元で活躍してくれることは望ましいこととしています。そのため今後はより中高生へのアピールが増えると思います。そのような機会をうまくとらえていきたいですね。地方から東京の大学に進学しても、就職は地元企業を選んで「Uターン」することも選択肢になります。今後も感染症流行などで、都市間の往来が難しくなるという事態が起こるかもしれません。そこまで想定して決めるのは難しいかもしれませんが、さまざまな可能性を考えて、選択の幅を広く考えることはよいかもしれません。

大学のリケジョイベントは多数あり、男女共同参画やダイバーシティの部署が担当しています。ウェブでホームページを見たり、電話で問い合わせたりしてぜひ、実際に足を運んでみてください。

学部の女子比率の違い

ではここで、学部学生において女子が占める比率を、文部科学省の学校基本調査などから見てみましょう。近年は「学部」の名称もさまざまになっていますし、「類」などで分ける大学もあります。ここでは例えば工学に近ければ工学「系」と称する形で説明していきます。理系を自然科学系でひとくくりにすると、女子比率は約27％です。文系は２つに分けると、人文科学系が約65％と過半数なのに対し、社会科学系は約36％で少なめだとわかります。

２０２０年のデータで理系を見てみると、女子比率が最も多いのは医学部・歯学部・薬学部を合わせた医療・保健系で約48％、半数弱です。次いで多いのが農学系で約45％。理学系が約28％、工学系が約16％です。医療・保健系は全体数が多く、女性比率は近年、あまり変化がありません。女性の進学先として定着しているということができるでしょう。

これに対して理学系と工学系の１９８９年度はそれぞれ約18％、約３％で、伸びが著しいことがわかります。実数データを見ますと、理学系在籍の女子学生は２０２０年度に約２万２０００人で、１９８９年度と比べて約１・９倍です。同じく工学系は約６万人で、なんと約４・７倍にもなっています。つまり30年ほどの間に、理工系の学部には「女子がほとんどいない」状況だったのが、「女子が少ない」状況に、変わってきてはいるのです。理系女子学生の数字は、社会全体の女性活躍が進むのと歩調を合わせて右肩上がりです。女性の活躍の点で社会のリーダー層となる年代ではまだ女性比率が不十分ですが、学生の状況を見る限りでは、この先は期待できるのではないかと私は思っています。

まず「生命科学」「理学・工学」で考えてみる

日本の科学について一流の研究者らが議論する「日本学術会議」という機関があります。2020年は政府による同会議の委員の任命問題が起こりました。これによって多くの人が知るところになった、日本の約87万人の科学者を代表する機関です。ここでは3つの区分けで部門を置いています。それは「人文・社会科学」「生命科学」「理学・工学」です。つまり「自然科学系である理系は、生命科学と理学・工学に大別される」ことになります。

生命科学に入る代表的な学問分野は、医学や薬学です。歯学や看護学も含めて「医療・保健系」という表現も、とくに職業とかかわるときなどになされます。これに20世紀に入って急速に発展してきた遺伝子組み換え技術や再生医療など、生物学や医学と密接な、新興の、つまり新しく興(おこ)ってきた分野が入り、生命科学（ライフサイエンス）と呼ばれる大きな領域が構成されてきたのです。

次に理学は自然科学の法則を明らかにすること、工学は自然科学の法則を使って社会に役立つ技術を導くことを、それぞれの研究の役割としています。理学と工学は近い位置にあり、研究者が双方を行ったり来たりすることは珍しくありません。

なお生物学は伝統的には理学に位置し、学術会議では理学・工学の部門に入っていました。けれども時代の変化を受けて近年、生命科学の部門に移ったということです。

分類は一つの考え方であり、厳密なものではありませんが、こういった分け方も参考に、まず「生命科学」「理学・工学」で自分の進路を考えてみるのもいいかもしれません。

成績がよいと医学部をすすめられがちだけど……

進路選びにおける大きな要因の一つに、科目の得意、不得意があります。数学や物理、化学、生物が得意なら理系で、国語や英語、社会が好きなら文系となるのが定番です。

男子のデータを見ると、理系の仕事で根強い人気があるのは医師です。そして「情報技術」（ＩＴ）が未発達だった１９９０年代くらいまでは、電気、電子や自動車などの大手「製造業企業」（メーカー）への就職が大人気でした。

一方、女子は理系科目の中では数学と物理より、化学と生物が得意で好き、というケースが少なくありません。先に理工系での進路でいうと、数学に重きを置く抽象的な分野より、生活に近い分野に魅かれる傾向があります。私もそうでした。「化学の道に進むことに憧れて、数学と物理はしようがないので勉強した」状態でした。大学に入れば同じ学部・学科の同級生は比較的、学力レベルが近くなりますが、その中での数学・物理の得意・不得意は、やはり選択科目の選び方や、4年生での卒業研究活動をする研究室を決めるときに影響していました。

さらに理系女子の大きなターゲットとなるのが医療・保健系です。「医師、薬剤師、看護師など、大学の学びの後に国家資格を得ることが、安定した女子の職業として望ましい」という親や高校の教師が多いことも理由の一つです。理系科目の成績がよい女子の多くは周囲から、医師という職業を憧れの対象としてすすめられる傾向があります。大人にとっては、収入が高く、子育てでペースダウンする時期があっても資格があれば勤め先に困らないし、身内の健康不安にも的確に対応してくれるなど、医師こそが理想の職業となりがちのようです。

けれども患者を診察する「臨床系の医師」は、夜勤を含めた長時間労働や、老若男女を相手にしたコミュニケーション、生死を左右する重い責任など、人による向き不向きがはっきりと出る職業です。また、医学部卒で医師免許をとっても、臨床医ではなく「基礎系の研究者」の道を選ぶ人もいます。これには、生命科学分野の基礎研究者の人材ニーズが高くなってきている状況もあります。私は取材で出会う女性研究者と親しくなって、「子供のころは医師になることを期待されていた」と聞くたびに、この周囲の憧れの構造を思い出すのです。

また、高校の教師が一般社会における職業を幅広く熟知していない場合が多いことも背景にあるようです。というのは「子供が好き、教師になりたい」と思う学生は、文系の教育学部に進んで教師になるケースが多いからです。一方で「科学の魅力を子供たちに伝えたい」と考えて教師になる理学部出身の教師もいます。どちらにしても工学系や情報系の職種や学びを具体的に見聞きしていないこともあり、その方面には積極的に後押ししづらいという状況があるのでしょう。

そんななかで、教師もさまざまな方面から情報収集をして的確なアドバイスをしようと努力していると思います。ただ、そういった事情もあることを認識して、女子生徒自身が、自ら動いて情報を集めることが必要です！　早いうちから多様な職業の人の話に耳を傾けてください。大学の学部選びもあまり早く絞り込まず、いろいろな選択肢があることを頭に置いておきましょう。

数学、物理が得意でなくても

科学技術の世界での近年の大変化といえばＩＴと生命科学の急激な進展です。発明の時期でいうと、コンピューターが１９４０年代、インターネットが１９７０年代、遺伝子組み換え技術が１９７０年代前半です。

その後、あちこちの大学で生命科学系の学部・学科が新設され、１９８０年代のバブル期に企

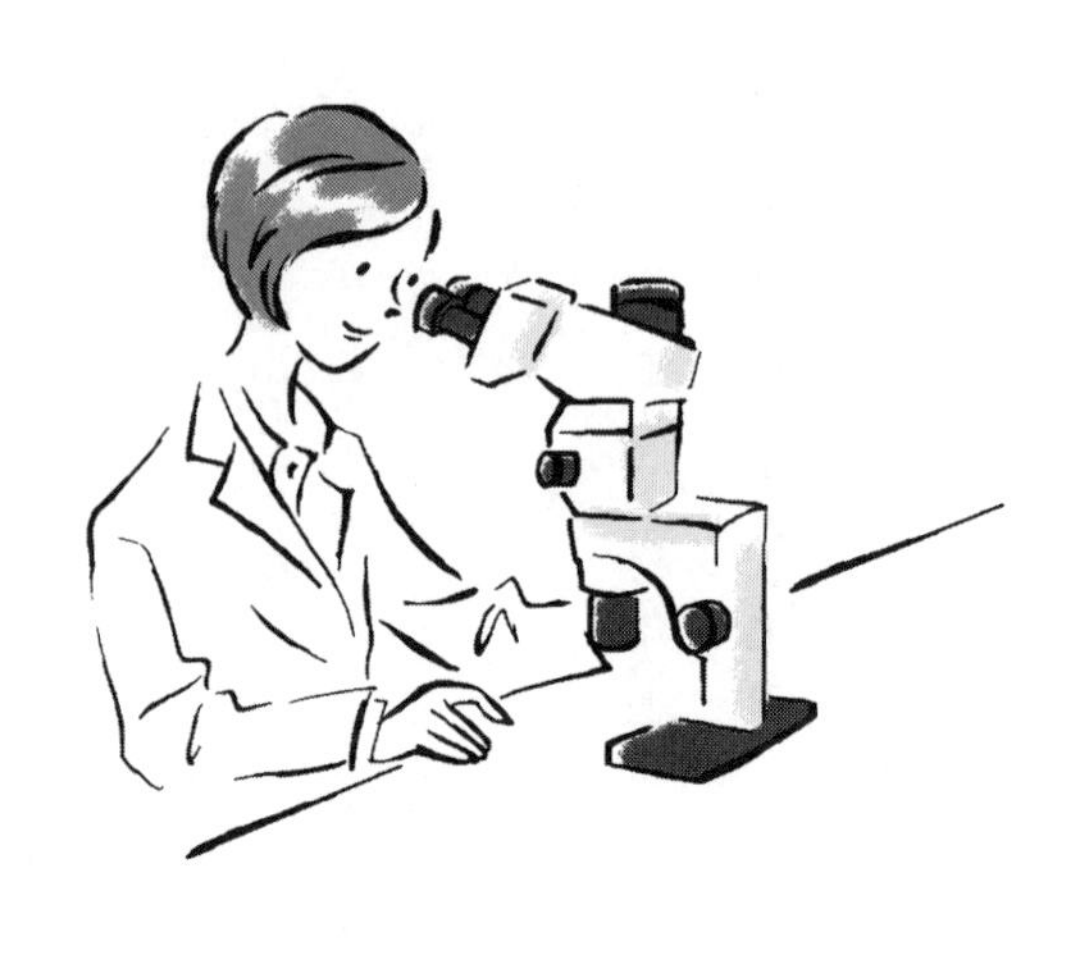

業もこぞって「バイオテクノロジー」を新事業の主テーマに置きました。生命科学は新参者にもかかわらず再生医療、人工臓器、高度生殖医療など、医学でも医療でも信じられないほどのスピードで発展しています。生命科学に関係が深い生物学や医学は、もともと比較的、女性の研究者が多く、分野の伸びが女性活躍の進展とちょうど重なりました。新規分野は伝統的で古い分野より、外国人や女性など少数派が競争に参入しやすいことも、影響しています。

また、生命科学の分野では、数学・物理の能力が、大学入試では必要なものの、専門的な研究ではさほど問われません。そう、女性が苦手としがちな数学・物理の成績が、理系の進路選択のうえで決定的ではなくなったともいえるのです。

私は、いくつもの数式を駆使するような人を「バリバリの理系」、そうではなくて、生き物や生命に関心を寄せるような人を「柔らかい理系」とそれぞれ呼んでいます。かつてであれば苦手科目の克服に苦労をし、理系の道をあきらめていた女性でも、生命科学系の新しい学部・学科に進学する「柔らかい理系」という選択肢が増え、リケジョへの道が広がったのです。

子供時代の特徴からしても、生命科学は女子に比較的向いていることが想像できます。ごく一般的なイメージですが、男子はモノが好きで、幼いうちから車や電車など乗り物に夢中になり、木材で何かを作ったりカメラを分解したりします。団塊世代であればラジオ作りが大人気でしたし、最近であれば特別な学習をしなくてもプログラミングを積極的に手掛ける中学生や高校生などども、どちらかというと男子のほうが多くいます。対して女子は、これもごく一般的なイメージですが、人や生き物が好きで、幼いうちから、より小さい子や動物の世話をしたりします。母親のお腹が大きくなって、きょうだいができたことも不思議でなりません。将来は自分もそうなるらしいと気づく年齢になれば、関心が高まることもあるでしょう。

女性の進学率や社会的活躍が高まることと、こういった関心や経験が重なって、生命科学は女性研究者の大きな活躍分野になっています。

第Ⅲ部の対談でも取り上げますが、２０２０年のノーベル化学賞が典型です。ゲノム編集という一大技術をテーマに共同研究をした、アメリカとフランスの、ともに50代の２人の女性研究者が受賞しました。もしかしたら日本人女性初のノーベル賞受賞者が生命科学分野から生まれることだって期待できるかもしれません。

コミュニケーションやプレゼンテーションが得意なら

次に、中学高校の成績とは別の観点から、女性の理系進路を考える切り口を紹介します。文部科学省系の組織で、政府の研究資金配分や人材育成の事業を展開する、科学技術振興機構（ＪＳＴ）という組織があります。ＪＳＴは高校生を中心とした次世代人材育成事業の分析をするなかで、ユニークな傾向を見つけました。それは、プレゼンテーションが重視される研究発表会における女子の強さです。

理数教育に優れた各高校が指定校となる文部科学省の事業、スーパーサイエンスハイスクール（ＳＳＨ）における数字を紹介しましょう。２０１８年のＳＳＨ生徒研究発表会の女子比率は、参加者全体では37％ですが、最終６校の選抜者になると50％。さらに最後の文部科学大臣表彰を受賞した高校の発表者２人は女子でした。

また、高校生がいくつかの大学で、地域の教育委員会などと連携した大学研究入門編を体験することができる、グローバルサイエンスキャンパス（ＧＳＣ）でも同様の傾向がみられました。２０１７年の発表会で全体の女子比率は48％なのに、受賞者となると77％。２０１９年には受賞者の82％も占めたのです。

つまり、理数系のテストや実験コンテストでは男子が上位を占めることが多くても、プレゼンテーションが重要な場面は女子が能力を発揮することが多いという傾向がうかがえます。ＪＳＴの渡辺美代子副理事は「社会ではテストの点より、説明能力が重要なケースが少なくありません」と、この傾向を前向きにとらえています。

ペーパーテストの点数だけで振り落とされる女子が多いのでは、もったいない。社会にとって意義のある人材育成を考えると、それはむしろマイナスの部分がある選抜法です。そのため、「女子の理系進路の後押しに、面接の比重が高い入試を設ける策があってもよいのではないでしょうか」と提案しています。

理系でも文系的な視点が必要に

小中高校生から探究学習を

日本は世界の各国と比べ、小学校の初等教育、中学高校の中等教育での教育の質が高いといわれます。文部科学省の学習指導要領がしっかりしていて、数学や理科など教科ごとに、またその教科のなかでも物理、化学、生物、地学といった科目ごとに、学校教育で指導する内容や時間が決められているのがその一因です。その反面、これらの教科や科目の壁を越えて、さまざまな知識を一度に活用して、複雑な課題を解決に導く力を育てにくいという面があります。

そこで出てくるのが、総合的な学習の時間などで取り上げられることの多い「ＳＴＥＡＭ」（スティーム）教育です。元々はＳＴＥＭ（ステム）といっていて、ライフサイエンスを除いた自然科学の基礎として科学（サイエンス）、技術（テクノロジー）、工学（エンジニアリング）、数学（マセマティクス）の頭文字をとってつなげた言葉です。これに最近では芸術（アーツ）が加わってＳＴＥＡＭとなっています。

ＳＴＥＡＭ教育は、さまざまな人と協力して課題の発見から解決まで取り組む、教科横断的な「探究学習」を意味しています。各教科や科目で学んだ知識を駆使して活動します。そしてさまざまに条件が移り変わる実社会に対応するうえで必要な、創造性を高めるための「創造性教育」と重なります。「社会における科学」を意識するといってもよいかもしれません。

ＳＴＥＡＭ教育は、大学生の高学年になって取り組む研究活動の雰囲気を、早い段階に体験できるという点でも魅力的です。生徒それぞれが持つ興味や関心に応じて「課題」を設定し、「実験」や、現地に出向いて観察や聞き取りを行う「実地調査」（フィールドワーク）をすることで、課題の解決につなげます。この内容をレポートにまとめたり、大勢の人の前で発表（プレゼンテーション）したりすることは、論文の執筆や学会での研究発表に重なるものです。

他にも中学高校の中等教育において、似た活動が複数あります。伝統的には理系のクラブ活動としての化学部、物理部といったものがあります。全国でトップクラスの高校生が腕を競うのは、数学や化学など科目ごとに設定された科学オリンピックで、国内での優秀者は世界大会にも進出し、メダル獲得の状況が例年、新聞などで報道されます。より大勢が参加する前述のＳＳＨ研究発表会も、よく知られています。大学の講義や設備などを高校生も活用する「高大連携」も推奨されています。所属する学校での取り組みや、学外でのイベントポスターなどを見て、これらの体験をしておくことは、リケジョの夢を明確にしていくうえでよい助けとなることでしょう。

文理融合的な建築系

建築やデザインは伝統的な学問領域ながら、文理融合の色が強く、女性の志願者が多い分野です。工学部建築学科や、私立大学で近年新設が相次いだ建築学部において、入試科目は理系科目を受けることが基本ですが、文系科目のみで可能なケースもあります。そういう意味で「バリバリの理系」というより、前述の生物系と同様「柔らかい理系」といえるかもしれません。

志願者は社会や芸術への関心が高いタイプが多く、入学してからの学びも、建築を経済、芸術、文化の面からとらえるなど、理系と文系との明確な線引きがない形で進みます。この点からも「柔らかい理系」といえるでしょう。女子はデザイン分野にとくに魅かれるようで、女子学生比率は3～4割と、理系としては多い大学も珍しくありません。

東京都八王子市と新宿区にキャンパスを持つ工学院大学の建築学部で、建築デザインを専門とする教授の冨永祥子（とみながひろこ）さんは、東京藝術大学の出身です。民家など歴史的な建築物の調査研究で、住まいの機能と美しさ、集落の歴史や地域の気候などの要素を分析し、現代の建築にも生かそうとしています。

冨永さんは「建築はかかわる世界が広いので、自分の軸をしっかり作ったうえでいろいろな分野につながる心がけが大切です」と説明します。現代の建物づくりにしても、建築物の強度を計算する構造、使い勝手のいい設備、人を惹き付けるデザインなど、建築の中のそれぞれの専門性を組み合わせるわけです。街づくりとなれば空間や環境など、さらに文系センスの高い人が加わって各々の視点を掛け合わせます。

とはいっても、あまり早い時期から分野融合のことを中心に考えることはないでしょう。早くからあれこれ気が散ると、自分の専門とすべき基礎の学びがおろそかになるかもしれないという心配を、教員だけでなく社会人もよく口にします。ただ、何に使われるかわからない数式や理論を頭に詰め込む授業ばかりでは、大学に入った意味がわからず学生は嫌になってしまいます。

そのため最近は、多くの大学で、最初に技術の応用や社会での使われ方を具体的に見せて学生に実感させ、多数の基礎的な科目を学ぶ「動機づけ」をすることが増えています。「こんなことを明らかにしてみたい」「社会に役立つモノをいずれ開発してみたい」といった気持ちを持ちながら、各学年の学びを積み重ねていく努力をするように促しています。

工学系の学部では、新しいアイデアが実現可能なのかどうかを考えながら学ぶことを後押しするために、機械などを自ら試作し、プログラミングによって実際に動かしてみるといった活動を重要視しています。建築系でも同様のことが考えられていますが、対象物が大きいため、これらの活動はイメージスケッチや図面、模型などのビジュアル表現に置き換わります。仲間と話しながらものごとを決め、考えを伝える手段として写真集のような印刷物をつくり、視覚的な表現とともに言葉を使った文章表現もします。柔らかいリケジョならではの学びを十分に楽しめる建築系について、各大学での取り組みを調べてみるのもいいでしょう。

情報系も文理の両面が

情報技術をはじめ通信技術、ロボットなどを得意とする国立の理工系単科大学といったら、教員も学生も「バリバリの理系」の人しかいない世界に見えるでしょうか。東京都調布市にある電気通信大学（以下、電通大）はその一つですが、数少ない女性教員において、文理融合の専門性やキャリアを持つ比率が高いようで、興味を引きます。

感性情報学などを専門とする教授の坂本真樹さんは、さまざまな現象や状況を音で表す「オノマトペ」を使い、人の主観や感性を数値化する研究に取り組んでいます。例えば病院で痛みを訴えるときに、「ズキンズキンと」「ギュッと締め付けられるように」「ズーンと重りを載せられたような」などと表現しますが、それらのオノマトペ表現から痛みの質を明らかにする、といった研究です。解析手法として人工知能（ＡＩ）も活用します。一般社会でもわかりやすい切り口で話してくれますので、テレビなどメディアでもしばしば取り上げられます。大学の教員ながら、芸能プロダクションにも籍を置いて活動する本気のパワーに驚かされます。同時にご自身の技術を基に興した電通大発ベンチャー企業「感性ＡＩ」の取締役ＣＯＯ（最高執行責任者）も務める幅の広さです。

坂本さんは高校生のときから言葉と人間の能力に関心を持っていて、出身大学はなんと東京外国語大学です。大学院は東京大学で言語情報科学を専攻。総合コミュニケーション科学を掲げる電通大が、文理融合の学科を構築しようとしていたときに、同大学へ赴任してきました。

一方、同大学教授の山本佳世子さんは、お茶の水女子大学文教育学部の地理学科で学びました。同学科はそもそも文理両方の学生、教員から構成されるそうです。大学院は東京工業大学で社会工学を専攻し、そこで地理的な情報をコンピューターの地図上で利用する最新の研究ツール、地理情報システム（ＧＩＳ）に出会いました。ＧＩＳは土木や環境、都市計画などの工学で多用されており、データを数学や統計学で解析することから、電通大には情報システムの教員として着任しました。

最近は、市民参加型のGISに力を入れているそうです。買い物や観光、災害対応など、個人の感想やおすすめをソーシャル・ネットワーキング・サービス（SNS）で発信するのに、GISと統合して、インターネット上の仮想（サイバー）の世界と、現実（リアル）の世界をつなぐ楽しさがあるのだといいます。

近年の研究成果でびっくりしたのは、災害時の避難経路を見つけ出すのに、粘菌という生き物を活用したという件です。これは避難経路を見つけ出すための「アルゴリズム」（コンピューターでの計算方法）に、粘菌が自分の細胞体内で作り出す輸送管の広がり方を応用したというものです。ちょっとわかりにくいですね。詳しくは研究成果発表のリリースを同大学ウェブサイトで見てください。それでもなんとなく、情報学と生物学という少し離れた分野を融合した、ユニークな研究だということは感じ取れるのではないでしょうか。

じっくり型も飽きっぽいタイプも、強みは好奇心

電通大のお二人の先生に共通するのは、好奇心が強いことです。山本さんは「学生から予想もしない発想が飛び出してきて、それを証明したり確立したりするさまざまな手法を手掛ける活動

が、とても楽しい」と声を弾ませます。年長になっても新鮮な気持ちを失わないことは、研究者としてとても大切なことです。

研究者には、「私はとにかくこれが好き」「これしかない」と心を決めて、突き詰めるイメージがあります。簡単には成果が出なくても、好きであればがんばれるので、大事なことではあります。一方で、すぐに関心の対象を変えてしまうタイプもまた、新たなものを切り開いていくうえで欠かせない存在なのです。

またＩＴという分野自体も、まだ発展途上です。「新たなものに巡り合いたい」「なんでも体験してみたい」という人には、我慢が必要とされるイメージがある伝統的な古い学問分野より、刺激的で魅力的に感じるようです。坂本さんは「女性は考え方を柔らかくして、対応も柔軟にして、特定の領域を越えていくのが得意な面があります」と励まします。ＩＴも両先生の学生時代はまだ身近でなかったのですが、今はコンピューターのゲームやＳＮＳなど、日常的に接する技術になっています。「こんなアプリをつくってみたい」「こんなこともできればいいな」というアイデアを身近なことから考え出すことが得意ならば、ＩＴの学びを志すのもいいかもしれません。ＩＴリケジョはこれからますます、増えてくることでしょう。

ちなみに筆者は、こちらの教授、山本佳世子さんと漢字までぴったり同じ同姓同名です。出身大学と大学院も同じうえに年齢も近く、しばしば間違えられます。私は電通大の非常勤講師をしているので、ここまで重なりの多い二人であることに、お互いに驚いている次第です……。

データサイエンスは文系でも理系でもない第3の系

今、大学の学部教育においてもっともホットな分野、それはデータサイエンス（データ科学、DS）といって間違いないでしょう。「ビッグデータ」（大量データ）を解析して社会の課題を解決する新分野です。詳しくは第6章1節で説明します。

２０１８年度と、この分野としては早い時期にDSの学部を設置した大学に、神奈川県横浜市の横浜市立大学があります。入試に数学が入るので理系の生徒の志望が多く、文系なら経済学部などとの併願者が目立ち、女子比率は他大学の理工系より少し高い程度だそうです。社会における価値創造に携わる経験として、企業ビジネスの中に潜む課題の解決に臨む「プロジェクト・ベースド・ラーニング」（PBL）の学びに特色があります。

准教授の小野陽子さんは東京理科大学の出身で、コンピューターを使った統計理論を専門としてきました。「DSは数理統計やAIの知識もさることながら、法律や文化など社会とのかかわりが非常に大きいのが特徴です」と言います。

例えば倫理の問題です。DSは多様性、包摂性のある社会を推進しようとしているのに、分析データとなるメディア記事や既存の資料などでAIを活用すると、記事や資料の中にある過去の

ゆがみを、かえって強調する結果が出てしまいます。そうならないようにする「DS倫理」の議論が必要になってきます。自然科学で考えるだけであれば、「計算結果としてそうなったので仕方がない」としてしまいそうです。しかし、実際の社会で機能させるのであれば、倫理という人文・社会科学の観点を基盤に置かないといけないのです。さまざまな社会的なプロセスでは、一方向の分析結果や価値観に偏らない注意が必要となってくるのです。

高校では2022年度から「情報I」という科目が、それまでの選択から必修に変わり、生徒はプログラミングやデータ解析を体験するようになります。これによって、理系と文系の区分にとらわれない、柔軟な分野融合脳を持った生徒が、DS分野の学びを志すケースが増えてくると期待されます。

迷うなら理系がおすすめの理由

このように文系と理系を明確に分けられない分野が発展してくると、さまざまな研究手法が使える人材が求められるようになります。そのときに重要になってくるのは、「数学の基本を学んでいる」ということです。

高校の段階で理系の進路を選んでいるのなら、数学が苦手といっても、基本は学んでいることになります。私も数学が苦手ですが、取材先の先生が丁寧に説明してくだされば、ある程度の数式も理解できますし、「要するにこういうことを示しているのですね？」とコミュニケーションすることが可能です。ですから研究を進めるうえで数学が必要になってきたら、そのときに覚悟を決めて、必要な復習をして取り組むことで、道は開けるのです。

ところが高校の段階で文系の進路を選ぶと、早いうちに数学をあきらめる形になりがちです。文系でも数学を学び続けていることが望ましいのですが、経済学部などの入試で数学を課せられるといったケースを除くと、多くは手を放してしまうようです。そうなると文系から理系へ「理転」することも、文理融合や分野融合に乗り出すことも、難しくなるのです。

これに対して理系が文系へ専門を変える「文転」は、わりあいと容易です。企業人でビジネスの専門性を上げるため、社会人大学院生となって経営学修士（ＭＢＡ）を修めるケースでも、出身の文理は問われません。電通大の山本さんは「数学は記述式問題で、途中までの記述でも点がもらえますよね。それは、完全でなくても途中までは論理的思考ができるということを、評価しているためです」と説明します。バリバリの理系の論理をまがりなりにも理解して、次の展開を考えることができる、理系の素養を大事に育ててほしいと思います。

それからコンピューターのプログラミングについては、経験がないと「とてもついていけないのでは」と思いがちです。ですがこれはコンピューターを動かすための「言語」です。システムエンジニア（SE）のうち、文系出身者が半分程度いるのですから、それを考えても食わず嫌いはもったいないことです。例えば「インドのヒンドゥー語を話せるようになんて、なれっこない」と思っても、現地ではだれもが使う言語なのですから、時間をかけて取り組めば話せるようになるでしょう。プログラミングも同じなのです。学生時代は偏食せずに、なんでも食べて（学んで）血肉にしていくことが大切なのです。

得意・不得意や性格から、どう進路を考えるか

「数学が苦手」は誤解かもしれない

理系への進学志望率は、女子より男子のほうがずっと高いはず。一般的にはそういう印象を持ちますよね。全国的な統計であれば、男子の理系進学率は、女子の理系進学率よりかなり高い数字になることでしょう。ところが、都市部の学力が高めの中高一貫女子校などでは、生徒のうち理系を選択する率が5~7割を占めるなど、決して理系の割合は低くありません。これは多くの人にとって意外なことではないでしょうか。以前、女子中高の理科担当の女性教諭に話を聞くチャンスがあり、その理由を知りました。

小学校高学年から中学校にかけて、男女の脳の発達段階には違いがみられます。大人になると違いはなくなるので心配はないのですが、男子は抽象化の概念が、女子は言語関係の能力が早く発達します。例えば数学で「比と割合」を学ぶ時期、男子は理解が高まる分野なので成績もよいのですが、女子はつまずきやすくなります。「やっぱり数学は女子に向かないのだな」と周囲の大人は考えて、そのように接しがちだそうです。けれども女子校なら、女子の特性を理解したうえで適切な指導をし、その壁を越えられるというのです。具体的には、数学のクラスは通常の半分の人数編成で、丁寧な指導をします。立体図形の学びでは、断面図を想像することが女子は苦手なことが多いため、実際に紙の模型を使って理解を促す工夫をします。

おもしろいのは指導のコミュニケーションです。男子が質問にくるのは、単純にその解き方を教えてもらいたいからで、あっさりとしたやりとりで大丈夫です。ところが女子が質問にくるときは、解法をただ示すのではなく、わからなくて悩んでいる気持ちを理解して共感するコミュニケーションが有効だというのです。「いい質問だね」「ここまではわかったんだ」「これについてはどう思う?」「こうしたらどうなるかな」など、ヒントを出しながら会話のキャッチボールをします。ダメだしはせず、励ましながら教え導く――。こんな具合だそうです。

もちろん、男子と同じ指導法で伸びる子もいます。ですがそうでない子にしてみれば、わからないという自分の不安な思いに寄り添ってもらって、成績が上がってくることで、「私も理系に進学しようかな」と考えるように変わるでしょう。もしも共学で男女とも違いのない指導を受けていたら、理系にいかなかったと思われる女子生徒が、それなりの割合でいると、その教諭は振り返ります。

数学でつまずいたから私は理系じゃないわ、と早いうちに結論を出さず、丁寧に教えてくれる人を見つけたり、質問にじっくり答えてくれる先生をつかまえてみたりすることもおすすめです。

女子校、共学、それぞれの長所と短所

男女別学の中学高校の多くは、男子と女子の違いに沿った教育を意識的に行っています。例えば生活指導において、男子は失敗を繰り返して初めて自律的に動くことを体得するため、あえて

放任するという面があります。一方で女子は先にルールを示すことが有効で、それを守りながら自律という生活態度を身につけていくそうです。

受験勉強なら、男子は気分にムラがありますが、直前にやる気になると集中力を発揮し、成績は急カーブを描いて上昇する傾向があります。対して女子は長期間、こつこつと勉強して、直線的に成績を上げていく子が多いといいます。

男女別学の効果の研究は、米国など外国でも盛んで、教育学の専門論文でも「男女別学の生徒のほうが、共学の生徒より成績、学習意欲、生活素行がよい」「別学化することで、男子は外国語で、女子は数学と科学で教育効果が高まる」「男女別学は性別による固定観念を打ち崩しやすいが、共学はそれを強化する」といったことが示されているそうです。

人は特定のグループの中で、そのメンバーに共通するよい面とともに、悪い面もたっぷり吸収して育ちます。中高生でそこまではなかなか気づけないかもしれませんが、自分のいるその環境が持つよい面を生かし、悪い面は気をつけるように、意識して学校生活を送るといいかもしれません。

育つ過程で身につきがちな特徴

個人差はあるものの、ここでは女性が育っていく過程でたどりがちな傾向を解説します。もちろん私にはあてはまらないと思う人もいるでしょうし、そういう部分があると気づいていない人もいると思いますが、一般的な傾向として把握しておくことも、自分の特性を考えるうえで役に立つかもしれません。

まず、男女の違いは幼少期の早い時期からみられます。女子は男子より感情のシグナルをキャッチしやすく、親や教師の指導通りの「いい子」になりやすい面があります。遊びでは、おままごとや人形遊びなどでやさしいお母さんの役を楽しんだりします。失敗すると周囲に慰められ、きちんとしていることやほめられることが大切で、危ないことは避けるべきだ、と学んでいく傾向があります。

対して男子は、親や教師、とくに女性からすると扱いにくい面が多々あります。スポーツやゲームを通して、競争を楽しみながら成長することが多く、間違えると周囲にからかわれ、再度の挑戦を促されます。次回の勝利や仕返しを考える、得をする方法を考える、といった経験をしていきます。女子でも男きょうだいが多い人などは、自然にこのような価値観や態度を身につけている人もいます。

男女の精神構造の違いは、90～94ページにも書きましたが、このような子供時代と大きくかかわっていると考えられます。学校生活を終えて社会人になってしばらくの間は、男女の精神的な違いはあまり表面化しません。昨今は元気な女子、優しい男子が増えていてなおさらです。けれども伝統的な組織は、多数派の男性が作りあげてきた男性社会というところがまだあります。業績や昇進など競争する場面に入ってくると、男女の精神的な違いが表れてくることもあります。

典型的なのは仕事で失敗をした場合です。多くの男性の思考回路では「今回は難しい課題だった」と冷静に振り返り、「自分の努力も足りなかった」と反省し、次の機会での挽回（ばんかい）を図ります。自信家であれば、仕事の内容や別の関係者などのせいにして「自分は悪くない」と責任転嫁するケースさえあるかもしれません。ところが女性は「ああ、自分は能力が足りないのだ」と落ち込んで、その失敗を忘れられず、次の機会にも及び腰になってしまうことが、しばしば起こります。能力の問題よりも、自信がないことがマイナスに響いてしまうのです。

もちろん自信のない男性も、自信満々の女性もいます。男女関係なく精神的回復力はとても大切です。さしあたって、強い精神力を獲得するには、困難を自分で乗り越えることによって手にする自信が必要で、親を含め周囲に愛されて守られているだけでは、それができないということをお伝えしたく思います。このあたりは文系、理系には関係なく、です。

単独行動が好きなら、理系向きかも

一般的な特徴として、女性は同性とのおしゃべりが好きで、楽しい仲間とグループで行動するイメージがあります。ところが理系の女性には単独行動を好む人も多いという面もあるようです。これも必ずしも理系だから、文系だからというわけではありませんが、ある程度の傾向としてということで、事例を紹介します。

ある企業のダイバーシティ（多様性）推進担当の部長クラスの女性から聞いた話です。「女性のキャリア構築に向けて、まずは女性社員同士が親しく話せるような場を持とうとイベントを企画しました。ですが、技術系の女性はそういう集まりを好まないようで、なかなか参加してくれません」と悩んでいました。

それが引き金になって思い出したのは、筆者の理系の同級生女性のことです。今も数年に一度は、時間をとっておしゃべりする仲です。その彼女が「昔も今も、1対1で女性とかかわるのは大丈夫だが、女性ばかり3人以上という場は苦手。女性だけを集めた同窓会なんて、もってのほかと思っている」ということを最近になって知り、びっくりしました。グループではなく、たいていは1対1で会っていたので、気づかなかったのです。

もう一つ、別の女性研究者の体験談です。楽しい集まりの主催者に「女性一人では参加しづらいでしょうから、女性のお友達を誘ってどうぞいらしてください」と言われて、その研究者が驚いたという件です。「女性は普通、一人で行動するのが苦手なものなのか」と振り返ったと言っていました。

文系にはもともと、人と社会が好きで文系の進路を選ぶ人もいますので、他人とかかわることに積極的な場合もあります。ところが理系は人の思惑とは離れたところで動く、自然科学の現象に興味を持ちがちなので、相対的に、人への関心は薄いという面がみられるのでしょう。

それに加えて理系女性は数が少なく、組織の中でも周囲に同性が少ないため、他の女性の行動やうわさを気にする機会もあまりなく、女性グループで盛り上がったり、足をひっぱりあったりする経験も少なくなりがちです。一人で動くか、周囲の男性と行動するか、それも自分で判断することがあたりまえになっていることでしょう。

理系女性が文系女性の多い集まりに入ると、確かに浮く面があるかもしれません。「だれが何をしてどうだった」といううわさ話に乗らなかったり、誘われても「私は結構です。失礼します」と断ったりします。人は人、自分は自分。そういうスタンスが出てしまうのかもしれません。

とはいえ、社会人であれば、社内外の仕事相手などと密にコミュニケーションをとる機会が出てきます。「職場の人間関係を左右する、年長女性の気持ちに配慮する」「決定権のある年長者を説得するために、話し方に注意したり根回しをしたりする」といった工夫を、そのうち学んでいくことになるでしょう。

中高生の親御さんで、もしお嬢さんが人づきあいがどうも苦手かもしれないなと感じる場合には、「この子は理系が向いているのかな？」とその可能性を考えてみてもいいかもしれません。

無理に周りに合わせなくても大丈夫な仕事も多くあるので、さまざまな可能性を考えて温かく見守っていってほしいと思う次第です。

理工系単科大学の変化

進路を選ぶときには当然、学びたい分野だけでなく、大学全体がどういう雰囲気かを知ることも重要です。ここで理工系単科大学の特徴と女子大学の特徴（次項）について取り上げたいと思います。

大学での理工系の学びは、それぞれの分野に重要な知識を、低学年から順に積み上げていくのが基本です。工学など実社会の課題解決を目的とする学問でも、どんなふうに学問が役立つのかはあまり言わずに「とにかく基礎的な力を身につけよ」と、教員は口を酸っぱくして繰り返してきました。実際、一つの分野を深く掘り下げることで新たな知を見つけ出していく研究においては、その教育方法が適していたのです。

理工系単科大学では、この教育法が浸透していることによってより効率的に人材を育成できます。学生は比較的しっかり勉学に励んでいますが、これはもしかするとやや理系よりは時間の余裕を持ちやすい文系学生が学内にいないこともあって、遊びのお誘いが少ないためかもしれません。そのため卒業生を採用するメーカーなど産業界の評価は、全体的に高くなります。卒業する段階で理工系の専門性をしっかり身につけていれば、後は企業に就職してからの社内教育で視野を広めていけばよい、と長年認識されていたのです。

ところが近年、その様子が変わってきました。社会の問題が複雑になり、一つの分野の知だけでは解決が難しくなってきたためです。それまであった垣根を積極的に取り外す「分野融合」や「文理融合」が注目されるようになりました。環境、人間、総合、情報・メディアといった名称の学部が新たに出てきたのはその象徴です。ここ数年でみると、地域の課題を解決する新学部などが人気を集めています。

こうなると理工系単科大学は不利になる面もあります。総合大学であれば、科学技術と社会の問題を、経済学や法学、教育学などさまざまな人文・社会科学の教員や学生と議論したり、一つのプロジェクト研究に取り組んだりできるのですが、単科大学は容易ではありません。

たとえば医学と工学の掛け合わせを研究するうえで、学内に医学部がないと弱みとなります。そのため理工系単科大学は同じく単科の医科大学と連携したり、社会の最先端にいる企業の力を教育に借りる「産学連携教育」をしたり、工夫しています。前出の、企業が持つ課題に対し、学生がグループで解決に臨む「プロジェクト・ベースド・ラーニング」（ＰＢＬ）はその一つです。また受動的に講義を聞くだけでなく、学生が能動的（アクティブ）に動いて成り立つ「アクティブラーニング」も、展開されています。

私は、「理工系大学の学部生として、その教育手法や価値観にどっぷりとつかってみることは、それなりによさがある」と思います。融合分野の学びに進むのは、大学院に進学してからで間に合いますし、自らの専門性と社会とのかかわりを考えたり生かしたりするうえでは、そのほうがよいと考えるためです。ただやはり、単科大学のデメリットは頭に入れておき、PBLを含むアクティブラーニングや、他大学生と交流するサマースクールなど、時代にあった教育手法を用意している大学かどうかを、受験時から気にしてほしいと思います。

女子大で学ぶ利点も

筆者は大学担当記者として、学部・修士・博士時代の3つの母校もしばしば取材し、記事にします。学部時代の母校、お茶の水女子大学の記事が話題になると、周囲から必ずといってよいほど出てくるのが、「今の時代になぜ、国立なのに女子大なの」という問いかけでした。確かに一昔前であれば女性は高等教育が受けにくく、進学するには女子大という存在が必要でした。ですので、問いかけの本質は「男女がともに活躍する現代社会では共学が普通と思われるのに、別学を行う利点が何なのかわからない」という感想なのです。「国立なのに」というのは、私立大学であれば建学の精神に基づいて、女性教育に特化するのもわかるということなのでしょう。

お茶の水女子大で2021年3月まで学長を務めた室伏きみ子さんは、私立、国立にかかわらず「社会において、男女の活躍の違いを阻むものが完全になくなったら、女子大は不要になるかもしれません。けれどもそうなるまでのあと数十年の間は、女子大に存在意義があります」と強調します。共学では現実社会そのままを持ち込んだ教育になってしまい、性別による役割分担なども固定化される傾向があるからです。

室伏さんはお茶の水女子大の理学部生物学科を卒業し、同大学および他大学の大学院や米国でのポスドクなどを経て、助手として同大学に戻りました。学長に就任する前には、自身の研究成果を基にした大学発ベンチャーを立ち上げたり、ブリヂストンの社外取締役や、NHK経営委員会の経営委員を務めたりと幅広く活動しました。その多様な経験を踏まえての言葉ですから、説得力があります。

今でこそどの大学でも、女性活躍推進を掲げていますが、少し前まではそうではありませんでした。ある理工系単科大学は30年前、学部生における女性比率は1％ほどでした。教員も同級生も、見わたす限り男性しかいない状態です。そこには「女性の社会活躍を後押しする教育・研究活動をしよう」と主張する人は、まずいなかったでしょう。とくに研究重視のハイレベルな大学は、学生を競わせてふるい落とす教育が色濃く出ます。指導教員はその中からもっとも優秀で、自分の一番弟子となるにふさわしい学生を、博士課程まで進学させ、研究室の跡継ぎにしようとします。その次の優秀さであれば、他大学に教員職として送り込み、自分の勢力を全国的に拡大

することを図ります。自然科学系は人文・社会科学系と異なり、グループとしての結束力が、研究推進のパワーとして効いてくる、ということがあるからです。
その中でまだ当時は、結婚や出産で辞める可能性が高い女子学生のことを、親身になって考えてくれる教員はごくごくわずかでした。今はもちろん、そんな状況ではありませんが、年長の男性教員はそういう環境が当たり前だったのです。
ところが女子大は様子が違います。教員も今のお茶の水女子大であれば約半分が女性、学長・理事らの役員も同様です。「女性は高学歴でなくて十分だ」という人は、30年前から存在しなかったはずです。子育てしながら研究・教育の仕事をする女性教員自身が、女子学生のキャリアモデルになります。女子大は規模が小さいこともあり、学生の不安やトラブルにきめ細かに対応してくれるという利点もあります。

そして一番魅力的だと感じることは、学生は全員が女性ですから、研究室運営の決めごとをするのも、実験用の重いボンベを動かすのも、男性に頼ることができず、リーダーシップが自然に身につくことです。日本でも、世界を先導する米国でも、少し前まで女性の社会的リーダーは、共学ではなく女子大出身者が圧倒的に多かったことが、このことを裏付けています。

今後はまた変わっていくかもしれませんが、こんなところに女子大の利点があるということを知っておくのもいいと思います。

これからの「リーダーシップ」

リーダーシップを身につけることは、もちろん共学でもできることです。将来リーダーを目指す目指さないにかかわらず、知っておくべき「リーダーシップ」のあり方について、少し解説しましょう。なぜ日本には女性のリーダーが少ないのか、たびたび取り上げられる問題ですが、以下のような背景もあり、次世代のリーダー像は変化していくのかもしれません。

最近の人材育成のトレンドに「リーダーシップ」（組織を導く力）を育てる「リーダーシップ教育」があります。大学でも企業でも盛んに議論や研修が手掛けられています。複雑で課題の多い現代社会では、さまざまな場でリーダーの重要性が高まっているためです。ＭＢＡ（経営学修士）の学位を出すビジネス系の大学院などでは、「トップダウン型リーダーシップ」が重視されます。これは最上位のリーダー（トップ）が決断をし、指令が下に降りていく（ダウン）仕組みに適したリーダーシップを発揮し、それによって現場など下部組織が変わっていくという形の組織運営です。ピラミッド型（ピラミッドのように、大勢の下位の人が少数の上位の人を支える構造）の大規模組織で有効とされます。

けれどもリーダーシップ教育には、別のスタイルもあります。組織やメンバー（組織構成員）を包み込むように変えていく「インクルーシブ型（包摂的）リーダーシップ」や、組織やメンバーを下から支える「サーバント型（奉仕的）リーダーシップ」です。女性がリーダーになる場合は、この形のほうが適しているという話をしばしば耳にします。なぜなら伝統的な男性組織は「指令」で動くのに対し、女性が多い組織は「共感」で動く傾向があるためです。

社長や学長など組織トップに就任するモチベーション（動機）も、男性はより上の立場を目指す「上昇志向」に裏打ちされるのが一般的ですが、女性は「周囲や社会のために」という意識が強いとも耳にします。さらにリーダーシップの重要性は組織の最上層部だけでなく、中間管理職などミドルクラスにも広がっており、女性に適した手法はこれまで以上に大事になってくるでしょう。

高校生の段階で、すでに「女子ということをそれほど意識せず、自然体で男子と競り合えるタイプ」もいます。その場合は共学の大学のほうが、より伸びていくかもしれません。対して男子がいると後ろに隠れてしまうような女子は、女子大で、自分を見つめ直しながら、社会人になる準備を進めるのもよいかもしれません。私は学部がお茶の水女子大で、学科1学年20人がすべて女性だったのに対し、修士は東工大で専攻1学年40人に女子は1人となりました。女子大で自然に自立心を身につけたことで、大学院では男子が多いなかでもまあまあ渡り合え、結果的に正解だったと振り返っています。

夢を描きつつ、間口を広げて学んでおく

理系は、自分には合理的で無駄のない、筋の通った考え方があると思っていて、それをとてもよいことだと考えていたりします。もちろん私もそうです。おしゃべりの相手が理系であれば、ざっくばらんでストレートな表現をしても問題ないことも多く、理系同士のよさを感じます。相手が文系であれば慎重にしなくてはいけない場面でも、理系なら気づかい不要のことも多いのです。ところがこれが曲者(くせもの)です。SNSでも指摘されることですが、自分と波長の合う人のコメントだけを受け入れていると、社会全体からみると偏った人になってしまう心配があるからです。

ある工学系大学のキャリアにかかわる講演会を聴講したときに、文系的な仕事をしている卒業生から鋭い発言がありました。「理系は皆、合理的なので、気を付ける必要があります。もっと広く社会を見て経験したほうがいいのに、すぐ『そんなの意味ないよ』と判断して、それ以上の

行動を起こそうとしなくなってしまうから」と。ドキッとしました。仕事柄、広い対象を取り上げるよう意識をしているはずの私でも焦ってしまいました。

若いうちは理系に進路を固めたとしても、自分の可能性を早々に狭めてはもったいないことです。人生、何が起こるか、社会はどう変わるのか、まったくわからないものです。私も大学院修士課程の段階まで、新聞記者になるなんて想像しませんでした。第1章の大隅さんも第2章の大島さんも「さまざまなことに興味を持ち、間口を広げておいて」と繰り返し、口にしています。

さて、この章では中高生が今から意識しておきたい理系の特性や大学の学びの特徴などについて述べました。次章では理系の専門を持つ大学での学びに入っていきます。理系女性として伸び盛りの季節です。

第６章 理系の研究と学び方

大学の理系の学部へ進学して学びを続けるなかで、次に考えるのはどの研究室を選ぶか、そしてその後の仕事をどうするかです。大学院に進むとすれば、さらにその先研究者になるのか、企業に入ってそこで研究職に就くのか、あるいはまったく違う道があるのか。大学院には進まず企業に就職するのか、そこでどんな仕事をしていくのか。ほかにもいろいろな道があり、選択肢はさまざまです。

自分の特性を知り、行き先の環境を見極め、正しく選択できるといいのですが、いったいどんな変化があるか、プライベートでも何が起こるかわかりません。正しい選択ができたかどうか判明するのは、だいぶ先のことかもしれません。軌道修正しながら進んでいくこともあるでしょょう。それでも、どういうことが起こり得るのか少しでもシミュレーションしながら選択したいものです。

これが絶対正解というものはありませんが、筆者の経験と取材から見えてきた、こんな選び方も考えられるのではないかということを、ここでは示してみたいと思います。また、文理融合や分野を越えた研究がどんどん進む今、周りの大人もそういった時流を把握できていないこともあり、適切なアドバイスができる人は少ないかもしれません。自分で調べて考えていくことも、より必要になります。

この章では、主に大学院に進む場合にどのように研究室を選ぶかについて述べていきますが、その前に、研究者として、今の時代に避けて通れないデータサイエンス（データ科学、ＤＳ）について触れたいと思います。

6-1 データサイエンスが欠かせない時代

まずは研究とはなにか、そして少し前にはなかった、誰もがデータサイエンスを学ぶ必要性について解説します。これからの時代、文系にも必要なものですが、理系に進もうとするなら、特に重要な分野になります。

研究とはなにか

研究とは、きちんとした手法によって新しい知を積み重ねていく活動のことです。各分野に適した研究の手法があるのですが、近年は「データサイエンス」という新しい動きが盛り上がっています。これは文理、各専門の分野によらないもので、学生の学びも大きく変わってくることになります。文系にもかかわりますが、特に理系はこの変化をおさえて大学生活をイメージしたほうがいいと思うので、まずこの話から進めてまいります。

科学研究は「これまで知られていなかったが、こんな法則や動かせない事実があるのではないか」と「仮説」を立て、本当にそうか「検証」したうえで、それが正しいということを他の人にわかる形で「証明」することで、新しい「知」を確立します。この活動が「研究」であり、導いた内容をまとめた論文や、この知を基に実用化した技術などを、「研究の成果」と呼びます。どの分野の研究も、過去の研究の成果のうえに次の仮説と証明がなされ、次の発展を導くという積み重ねで構築されています。

研究の手法には、伝統的なものとして「理論科学」と「実験科学」があります。これらは人の手によって取り組まれます。これに対して20世紀に、人手では不可能な計算をするコンピューターが登場したことで、「計算科学」（シミュレーション、模擬実験）が生まれました。さらにここ数年、「第4の研究手法」として注目を集めるようになったのが「データサイエンス」です。

「理論科学」「実験科学」「計算科学」

まず「理論科学」は、過去の研究者が積み重ねて明らかにしてきた原理や法則を基に、「これが正しいのであれば、このような新たなことがいえるはず」と予測し、証明をするのが活動の柱です。たくさんの現象や法則を重ねて突き合わせ、理論的におかしな点がないか確認しながら、新たな法則などを確定します。数学や物理の研究者はよく、「紙と鉛筆があればどこでも研究できる」というのですが、それは計算式を展開する研究者の頭脳による部分が、大きな割合を占めているからなのです。

次に「実験科学」は、ある一定条件の下で、特定の条件だけを変えたときに起こる変化を観察することで、「こんな法則があるのではないか」と仮説を導き、「そうであればこうなるはずだ」という新たな実験をして、正しいことを示します。物質の性質や化学反応、生物体内での薬の効き方などを研究対象に、研究者の経験に基づいて意味があると思われる条件を少しずつ変え、多くの結果から新たな知を導きます。そのため実験には装置や試薬、実験動物などが必要で、その分人手も必要になり、学生を含む研究者も大人数である研究室が少なくありません。「紙と鉛筆」とは逆の研究環境になります。

一方、「計算科学」は、自然科学による現象に対し、「理論的に考えると、こんな数式モデルで示せるのではないか」と仮説を立て、コンピューターを使って大量の計算をします。多数の要素が絡まって起こる集団行動や高性能材料など、想定するものを計算モデルで再現するのが「シミュレーション」です。通常の生活でも「こんな手順で進めていくとどうなるか、シミュレーションしてみた」と口にすることがありますよね。本当の実験はある条件を一つずつ、設定して試すことしかできません。が、シミュレーションは模擬的な実験ですので時々刻々の変化を調べられますし、地球環境や災害などの実験できない事柄にも対応できます。複雑で膨大な計算が必要な場面では、高性能のスーパーコンピューターが活躍します。

第4の手法「データサイエンス」

そして第4の手法である「データサイエンス」についてです。これは例えば、新型コロナの感染者と非感染者の血液からわかるさまざまな健康データを集めて、その「ビッグデータ」（大量データ）を「統計学」や「人工知能」（ＡＩ）を使ってコンピューターで計算して分析し、「こんな人が感染しやすい」とその要因を明らかにする、といった研究です。「データの量」が非常に多く、しかも血液採取の環境や分析装置が同じなど「データの質」もよければ、ＡＩは要因をぴたりと当てられるといわれます。

コンピューターを使う点では計算科学と一緒なのですが、研究のアプローチが違います。計算科学は、理論や原理を基に、計算によって予測をします。これに対してデータサイエンスは、現象を表すデータを解釈するのです。

どの研究手法も一長一短がありますので、複数を組み合わせるとより優れた研究ができます。例えば超電導など優れた特性を持つ材料を開発するうえで、多くの実験をして材料の特徴を把握し（実験科学）、その性能発揮はどのような分子や原子の構造によるものかを理論的に考え（理論科学）、その理論に基づいて化学構造の異なる分子を合成したら、どのような性能が出るかをシミュレーションする（計算科学）といった手法の組み合わせが、それぞれを得意とする研究者同士の共同研究などで取り組まれてきました。これに、超電導を示す材料をくまなく集め、それらのデータを分析する「データサイエンス」を加えれば、「開発すべきは、こんな化学構造の材料だ！」という情報が、かなり的確に得られるようになるというわけです。

「数理、データサイエンス、AI」は必修へ

データサイエンスは新たな手法として、研究の世界だけにとどまるものではありません。いうならば、世界のコミュニケーション手段である英会話のようなものです。専門分野によらず、この力を身につけていると、研究でも研究以外の場面でも、活動の幅がぐっと広がります。以前はそうでもなかったのですが、今や大学生の段階で多くの人が身につけるべきだとされています。

契機となったのが、政府の司令塔、内閣府の「総合科学技術・イノベーション会議」（システィ：Council for Science, Technology and Innovation：ＣＳＴＩ）で議論され、２０１９年にまとめられた「ＡＩ戦略２０１９」で、これに基づいた大学教育施策が急速に進められています。目指すのは、企業のビジネスや政府の予算配分を決める「根拠」（エビデンス）として、大量データである「ビッグデータ」を、数理的な思考でとらえて、統計学やＡＩによって解析する社会です。これらを象徴するものとして、より目をひくＡＩという言葉が使われていますが、意図するのは「数理、データサイエンス（ＤＳ）、ＡＩ」という広がりです。より実態を表している

「ＤＳ」の言葉を使って説明します。

この戦略では「学びの各段階で、ある一定程度の児童・生徒・学生・社会人がこの分野の教育を修めているように」と２０２５年をめどとした数字目標を掲げています。学びの段階の最年少は小中学生です。まずここで、情報通信技術（ＩＣＴ）の端末を1人1台扱わせ、慣れさせていく教育を進めます。次に1学年約１００万人の日本のすべての高校生で数理的な素養を強化するとしています。文系も理系もここでは区分けしません。

重要なのは次の段階、大学の学部生の段階です。文系理系も学部も関係なく、全員がＤＳの「初級のリテラシー（読解記述力）レベルを学ぶ」としました。大学進学率は約半分ですので、全国で1学年約50万人が、大学1～2年生の段階で、ＤＳの基礎をほぼ必修で学ぶということを掲げているのです。

次に想定するのが、各学部・学科の専門性を掛け合わせた「各専門分野×ＤＳ」の応用基礎レベルを、全学生の半分、1学年25万人が学部3～4年生の段階で取り組むことになる計画です。理系であれば、第4の研究手法であるＤＳを取り入れることは一般的なものになるでしょう。それに加えて文系の経済学、心理学、社会学などでもＤＳを取り入れることを求めているのです。狙いは、社会人として巣立ったときに、産業界や官公庁、医療現場などあらゆる場面でＤＳを活用できる人を育てるということなのです。

ちなみにその上のエキスパートレベルは、大学院生など年2000人程度と、ぐっと数が減ってきます。DSやAIの研究者やその卵が取り組むという位置づけだからです。小中学生から積みあがってきたピラミッドの最上位は、世界と戦うトップレベルのAI先端研究者などで、年100人という数字目標を出しています。

AIの可能性

DSはビッグデータを材料にして、社会における何らかの真理を導くことを目的に行われます。伝統的な学問分野でいうと数学の一種の「統計学」を使います。

統計学は、心理学や教育学など文系を含む調査研究で、以前から活用されていました。人を対象にした実験や観察でデータを集めたときに多用されます。調査で得られたデータから、「Aであるという真理を導ける」のか、それとも「たまたまAに見えるデータが集まっただけで、Aであるとは言い切れない」という結論になるのか、それを判断するのにデータの数や分布などによる統計学が必要になるのです。筆者も博士研究で産学連携のアンケートの結果を解析することになり、統計学の書籍をひっくり返して取り組みました。

また、社会の多くの現象は、さまざまな要因が複雑に絡み合って起こっていますが、もしシンプルな形で説明できれば理解がしやすいうえに、少数の重要な要因に対応することで課題の解決を図ることができます。経済学や、感染症などを扱う公衆衛生学などの研究では、数学の線形代数を活用した多変量解析という方法で、「現象を数学の1次式で近似する」手法をとります。そのため文系の研究者でも、統計や数学の素養がしばしば重要になってくるのです。

一方、DSに統計学ではなくAIを使うケースが近年、急増しています。統計学は過去のデータ解析しかできませんが、AIは未来予測に適するのが魅力です。AIにもいろいろな手法がありますが、代表的なものが「ディープラーニング」（深層学習）です。たくさんの画像から犯人を見つけ出す画像判断や、自然な言葉で出てくる機械翻訳、多数の指し手があるなかで最適なものを選んで勝負する将棋などにより、AIの威力が社会で実感されています。

例えば新型コロナウイルス感染症の対応では、計算科学やDSと社会科学の両方の素養が必要となりました。携帯電話キャリアや全地球測位システム（GPS）で集められたビッグデータを活用し、そこから感染者の発生と人々の行動の関連を解明する。その結果を自治体などが施策に生かしているそうです。次いで感染者数の広がりを予測するモデルの確立に、社会の期待が集まりました。式における「変数」（パラメータ）として、自粛率や人の分布といった数字がかかわってきます。ですが多数の変数のうち何がどれだけ重要なのか、すべてに目配りできるのか、難しそうですね。

こういった事柄の仕組みを、なるべく単純かつ本質的に示せる、数式としての「モデル」を導くには、大きく2つの手法があります。

一つは伝統的な物理モデルで、集団の病気を扱う「疫学（えきがく）」などの理論から、「因果関係」（原因と結果）がはっきりとした重要な変数を使って、感染者数を導きだす式を組み立てます。どの変数が重要か説明しやすいのですが、「精度」（正確さ、精密さ）はあまり高くありません。

一方、もう一つのAIによるモデルは大量の変数を使い、機械学習などによって感染者数を導きます。どのような変数のかかわりで式ができているのかは示されないのですが、とにかく精度が高くて、ほしい数字をピタリと出すことができたり、気づきにくい要因をはじき出したりできるというのが強みです。例えば、元気な高齢者が昼間に営業しているスナックでカラオケを楽しみ、そこで感染が広がるという現象は、意外なものでした。こういった通常では気づかない「ファクター」（要素、因子）を、AIなら見つけられる可能性があるのです。また、感染者数を比較的抑えることができている日本を含むアジアと、欧米の感染者の広がりの違いはどこにあるのか、「何がファクターXとして効いているのか」を探し出すことが、期待されています。

DSを仕事とする人は「データサイエンティスト」と呼ばれます。何を意味しているのかわからないビッグデータの塊から、意味のあるものを抽出するのが役割です。ただ、まだ明確な職業として確立されておらず、ハイレベルな大学の研究者から、データをいじり始めた段階の企業の分析担当者までさまざまなレベルの人が取り組んでいるため、力量もばらついているのが現状ですが、今後は変わっていくでしょう。

「データ分析」自体は手法として、数学・物理系をはじめ統計学やＡＩを使っている人であれば、手掛けることができます。ですが、対象とする事柄における解釈を科学的に行う「データ解析」の研究には、やはりその事柄に詳しい社会科学や疫学などの専門性が、欠かせないのです。

6-2 大学4年生の卒業研究と大学院

研究室、指導教員はどう選ぶか

大学の自然科学系では、学部４年生までに研究室に所属して、卒業研究を行うのが一般的です。「研究ってこんな感じなのか」と実感できることから、卒業後の仕事としての研究職をイメージしやすい面があります。そこで、大学院進学の選択肢も考えていきましょう。

まず学部４年生までに配属される研究室選びについてお話しします。これは、とても大事なものです。４年生で卒業するのではなく、同じ研究室に所属したまま大学院に進学するとなると、さらに影響は大きくなります。女子学生はどのような点に注意して、研究室と指導教員を選ぶのがよいのでしょうか。大事にしたいのは、もちろん自分が取り組んでみたい分野やテーマです。

そのうえで研究室訪問などをして、先輩や教員などと交流し、雰囲気を探っていくことになるでしょう。

まずポイントになるのは、女子学生の在籍の実績です。今の研究室で何人か、先輩にあたる女子学生がいるのであれば、安心して突っ込んだ質問や相談ができるでしょう。女子学生に評判がよい研究室は、どんどん女子比率が高くなるということを、実際に耳にします。そういう研究室では、教員も女子学生歓迎の姿勢を明確にしているでしょう。ある地方国立大学の中堅世代の男性准教授は「女子学生に嫌われないよう、身だしなみも気を付けています。髪の毛や臭いとか。伸びた鼻毛がでているのはもってのほかです」と真剣な顔をして言いました。「女子学生はまじめで熱心。ふがいない男子学生を引っ張ってくれますから」と期待します。さらに「問題を起こすのは男子学生が多い。女子学生ならその心配が少なくて安心」ということも、こっそり打ち明けてくれました。問題を起こすことは男女ともにあると思いますが、教員が自分の研究室でのトラブルを避けたいと思うと、女子学生のほうを好ましい存在と感じるのもわかる気がします。

また、ボスとなる教授が、助教などに女性を選んでいる研究室は、おすすめできるかもしれません。子育てなどでプライベートが男性より忙しくなりがちな女性を、それも数少ないなかであえて部下に選んでいるのですから、女性に対する理解度は間違いなく高いでしょう。ぜひその助教などから、指導教員の素顔を聞きだしてみてください。また、共同研究相手などに女性の教員・研究者がいる教授や教員なら、男女関係なく評価してくれることを期待できるかもしれません。

男性教員が周囲の学内職員や学会事務局の女性から人気がある場合は、コミュニケーション能力が高そうです。そんな男性なら女性とともによい仕事ができるのではないかと思います。

けれどもなかには、女性活躍が進められているからと、女子によい顔をして見せているだけの教員もいるかもしれません。真に女性の活躍を応援するタイプかどうか。それを推し測る、私が勝手に考える裏技をお教えしましょう。半分、笑いながら聞いてください。

その1。「男性教員のパートナーである妻が、教員・研究職である」。同じ専門分野で結婚したカップルは、学会仲間などに夫婦それぞれ知られています。仲が悪化した場合に隠し通すのも辛いですし、収入を含めて夫婦が自立していますので、仮面夫婦を演じるのではなく、必要なら離婚しているはずです。夫婦仲がよいならば、妻を通じて女性のキャリア確立に対して深く理解していることでしょう。セクシャルハラスメント（セクハラ）の心配は少ないかもしれません。

その2。「パートナーが自立した職業に就いている」。研究とは違う業界でも仕事を持つ女性と結婚して、ともに自立しながら一緒に生きてきたカップルです。女性に対する敬愛の念を持ち、女性の職業的な自立の重要性をよく認識していることでしょう。

その3。「娘がいる」。たいてい賢くて、かわいくて仕方のない娘でしょう。女子学生のあなたを、娘と同様に応援してくれるに違いありません。

ではこれらに当てはまらなかった場合はどうしましょうか。実は、さほど心配がいらないだけのケースもあります。そもそも女性が少なく、研究室に女子学生を迎える機会がなかった専門分野なのかもしれません。その場合は、その教員にとって初めての「心から応援する女子学生」になるチャンスです。

もちろん、すべてがこのルールにあてはまるほど、単純なものではありませんが、こんなふうにちょっとした指標を作って考えるのも一つの手です。そして、もしかしたら研究室の男性教員選びは、人を見る目を鍛えるレッスンになるかもしれません。いろいろな切り口から迫ってみてくださいね。

著名な研究室、有名教授に憧れてという選択

研究室を選ぶうえで、メディアにも頻繁に出るような著名な教員が率いる研究室は人気が高いものです。実力がついて就職にも有利、それにかっこいい！　とワクワクするでしょう。成績がよければ、人気研究室への配属の切符を手に入れやすいかもしれません。

けれども私は、著名な研究室は弱肉強食の色が強いことに、注意がいると思っています。もちろん自分がその研究をやりたいという強い気持ちがあれば突き進んでほしいと思いますし、男性

ばかりの中でも気後れナシ、一流の研究室でしごかれたいというガッツのある女子なら大丈夫でしょう。ですが研究室経験がまだない最初の段階で、思っていた以上に厳しい環境に放り込まれると、うまく伸びていけなくなる場合もあるかもしれません。自分の性格を考えて研究室とのマッチングを考えるべきでしょう。

具体的にいいますと、研究活動の時間がとても長く、夜中まで研究室にいることが多いなどです。それを聞いただけでも大変そうですよね。また、科学誌のネイチャー、サイエンスといった超一流どころへの論文掲載ばかりを重要視する教員も、危険かもしれません。どちらも対外的な評価は高いかもしれませんが、それは「研究」面でのことであり、「教育」面では必ずしもよい環境であるとは限りません。なかには研究成果で教員の名を高めるために、学生を単なる労働力として使っている研究室もあるのです。

研究室の規模はどうでしょうか。旧帝大（明治時代の帝国大学令により設立されたうち国内にあった7国立大学）などでは、教授、准教授、助教などがそろって一つの講座を動かす「講座制」という運営スタイルが、ある程度残っています。ここはピラミッド型の組織で、医学部の臨床系など多くのメンバーを管理するのに適した仕組みです。ところが教員同士で性格が合わなかったりすると、研究室全体の雰囲気がとげとげしくなり、学生は常に緊張している状況になってしまいます。このあたりの情報収集は難しいかもしれませんが、研究室訪問で親しくなった先輩などに、それとなく様子を聞く努力をしてみましょう。

では、小規模な研究室なら面倒見がいいかというと、必ずしもそうとはいえません。学問は自立的に取り組むもの、という考え方に基づいた、放任主義の教員がそれなりにいるからです。

ただ、こういった研究室選びの重要性は、学部段階よりも、学外の大学院へ進学する段階のほうが高いかもしれません。より研究力が高いといわれる大学を進学先の候補にすることが多いのですが、学外とあっては内部の様子を感じ取ることは難しいものです。専門分野を学部時代と変えることも多く、そうなると研究分野の文化も違ってしまい、とまどうことになります。

ちなみに私は東工大の修士課程に進学するときに、はじめは夜中も明かりが消えない不夜城の大規模研究室を志望していました。気力だけは十分だったのです。結果的には丁寧な指導をしてくれる小規模の研究室に収まり、途中で研究職キャリアを断念してからも、修士課程修了までやりとげることができました。もし第一志望の研究室に入っていたら、キャリアの転向と父を亡くしたこととで、中退していたのではないか……と振り返るのです。

大学院進学率は大学・分野によって大きな差が

理工系の学部生は日本の大学すべての学部生の約2割、1学年あたり約10万人を占めています。そしてこれらの分野の大学院修士への進学率は平均で約4割です。実数でいうと1年あたり6万人の学部卒と、4万人の修士卒が社会に巣立つことになります。

名の知られた複数の首都圏中堅私立大学理系の進路状況をみてみます。キャリアセンターなどの就職支援担当者への聞き取りや公開データを活用しています。1学年のうち修士への進学が2～4割で、就職は製造業が1～2割、ITが2割、そのほかが3～4割といった具合です。理学系であれば中学・高校の教職、建築・土木系や農学・環境系であれば公務員の専門職もそれぞれ1割程度という特色がみられます。

一方、国立大学や早稲田大学、慶應義塾大学など、研究に力を入れている「研究大学」といわれるところは進学率が7～9割に上ります。分野別では化学や電機・電子などで高く、公務員の専門職が人気の土木系などでは低いといった違いがみられます。

修士への進学率は一般に、その年の就職の状況によって変わります。企業からの求人数が多く、学生が選り好みできる売り手優位の「売り手市場」では、就活での希望が通りやすいため、多くの学生が進学ではなく就職を選びます。逆に求人数が少なく、企業が学生を厳選して選べる買い手優位な「買い手市場」のときは、就活の希望が通りにくいため、就職ではなく進学を選ぶ学生が増加します。

近年は進学率が上がって修士号を持つ人が増え、「今の修士は昔の学部に相当するレベル」という言い方もされます。標準的な状況が以前と違っていますので、就職か進学かに悩むのであれば、修士への進学をおすすめします。

修士は学部の延長、博士は研究者への険しい道

今の時代に、大学などの自然科学系の研究者になるには、博士号を取得していることは絶対条件です。企業の研究者は修士のことが多いのですが、大学や公的研究機関は競争が激しく、博士号を持っていない人材はまず職に就けません。

理工系の博士課程は前期2年、後期3年で構成されています。世界的にこの5年一貫での博士号取得を前提とする大学は少なくありません。ところが日本では、修士課程とも呼ばれる博士課程前期のみで、就職することが多くなっています。そのため一般に、大学院というと修士課程の

イメージが強いようです。

ところがこの修士課程（博士課程前期）と博士課程（博士課程後期）は、教育の内容も仕組みも大きく異なります。ざっくりいうと、「修士課程は学部課程の延長。博士課程はまったく別物」です。指導教員は「どうやったら博士号を取れるのか」を、あまり具体的に教えてくれないのです！　学費を払って指導を受ける立場なのに、信じられないことですよね。ですがその試練が、博士課程における教育だとされているのです。

第1章の大隅さん、第2章の大島さんの話を思い出してください。2人とも博士課程から30代にかけての若手の時代に、厳しい経験をしています。研究者と呼ばれるようになるためには、自分一人で壁を乗り越えなくてはいけないのです。そのため指導教員は細かな手出しをしないものなのです。

社会人となってから博士号を取得する道もあります。大学院に入学して単位を取り、最終的に博士論文で審査に通れば、「博士課程修了」となり、「課程博士」として「博士号」が大学から授与されます。他の授業の単位を得ていても、博士論文が完成できなければ、「単位取得満期退学」で退学するしか方策がなく、博士号はナシで終わります。あまり知られていませんが、この形で終わる社会人が、実はかなり多く見られます。

企業の研究所の研究者であれば、大学院に入学しないまま、学術論文7本などの実績を基に博士号を取得する「論文博士」という制度も、多く活用されてきました。ただ企業はビジネスのため戦略を変えますので、博士号につながる同一テーマを長年担当できるか、という不安定さがあります。

研究者でないのに博士号をとるということは、至難の業です。私は大学担当記者として、社会人博士の厳しさを見聞きしていましたので、かなりの対策をとって取り組めたのがラッキーでした。ポイントは、日々の取材から得たものを記事で社会発信し、その後に学術論文にまとめ上げるというスタイルにできたことです。仕事と博士研究を大きく重ねる形をとらないと、社会人博士は暗礁に乗り上げてしまいます。

私はそんな幾多のハードルを越えて博士号を取得した人のことを、こんなふうに定義づけています。「何もない、だれもいないところで新たなものを打ち出し、その仮説を実証し、社会に賛同者を増やしていく。博士とは、そのことを科学的な研究手法によってできると証明した人だ」と。博士号は、真の研究者としての力量を示す、最高学位なのです。

第7章 理系の研究職、仕事とプライベートはどうなる？

理系の職に就くと、どのようなことが起こるのでしょうか。たとえば、企業への就職などを決め若手としてのキャリアを固めていったり、博士課程学生から博士号を取得し「博士人材」となって大学や公的研究機関でポストを得たりというステップがありますが、そこにはどのような壁があるのでしょうか。そういったことについて、この章では事例を挙げて説明していきたいと思います。

大学生から博士号を取得した人まで、それぞれ将来の参考になればと思います。理系の職に就く時期は、仕事だけではなく、プライベートでも結婚や出産、子育てなどについて考えていく大切な時期と重なることが多くなります。先輩リケジョたちがどうやりくりしてきたかもお伝えしていきます。

7-1 大学の研究者、企業の研究者

大学研究者を取り巻く環境

まずは大学の研究者としての職についてお話ししましょう。博士課程の学生の多くが、最初に大学での研究者を目指します。所属する研究室での研究者の生活を身近で見ているので、イメージしやすいのでしょう。また「ビジネスになるかどうかを重視する企業ではなく、自立した一人の研究者として基礎研究を落ち着いてやりたい」と考える人もいるでしょう。

ただ、最近の大学の環境を知る私は「昔なら大学の環境が快適だったけれど、この時代に大学にこだわり過ぎないほうがいいのではないか」とも思います。なぜなら、大学の伝統的なイメージから近年、大きく変わってきたためです。それは２００４年度に行われた「国立大学の法人化」によります。それまで国立大学は文部科学省の下の一機関だったのに、独立した「国立大学法人」となり、組織が活動するための収入や支出に多大な気を使わなくてはならなくなったのです。国立の公的研究機関も同様に法人化しました。税金による国からの支援はもちろんかなり大

きいままですが、「研究力を高め、社会からの信頼を得て、企業からの共同研究費や一般人からの寄付を集めていくように」といわれるようになったのです。

それによって研究の改革が、大学運営の改革と密接に結びついて進められるようになり、国立の研究機関（大学や公的研究機関）の研究者の働く環境は、大幅に厳しくなりました。人文系など「文献」（論文や専門書）を読んで、深い思索に時間をかけ、論文は数年に一度——といった分野は、研究にあまりお金がかからないため、相対的に変化は小さく抑えられています。ですが、自然科学系は実験やコンピューターの活用で設備などにお金がかかるので、厳しい状況です。ただ、一方で自然科学系の研究は、成果が社会に還元される可能性があることから政府の別の支援も出てきています。どちらにしても、のんびりとしていられる分野ではなく、働く環境は驚くほど変わってきました。

若手研究者にとって最大の変化は、博士課程修了後は博士研究員（ポスドク）として、5年など「任期（任務のある期間）付き」の研究者になるのが多勢となった、ということです。定年退職まで勤められる「任期なし」の研究者になるのは、30代後半に先送り。若いうちは複数の研究機関で「任期付き」の職を2回ほど経験するなどしたほうが、研究者として実力がつくというのが世界的な共通認識のためです。

この不安定な雇用形態に耐えて、すぐれた研究業績を多くの論文などにまとめ、それをもって任期なし研究者の「ポスト」(仕事の持ち場、職)を獲得しなくてはなりません。昔と異なり、ポストは減っているのに若手研究者は増えたので、昨今は公募での競争率が何十倍にもなっています。

大学と企業、私生活とのバランスのとりやすさは?

結婚して子供を持つうえで、女性に特に任期付き雇用の大変さが重くのしかかっています。女性研究者は、同業の男性研究者と結婚することが少なくありませんが、夫婦でどちらもポスドクとして研究している場合、その時点での所属機関で成果を出すことが必要なため、また研究機関が離れた場所にあることが多いため、別居婚も少なくありません。任期が終了すると別の機関に移る可能性があり、そこで同居に持ち込めることもありますが、同居だったのが別居になってしまうことも起こります。その中で妊娠、出産、さらには別居のまま妻が子育てを主に担うケースが、決して珍しくないのです。

これは企業人においてはそれほどないことだと思います。双方のキャリアを大事に思い、別居する期間があったとしても、企業内の制度新設を働きかけたり、どちらかが転職をしたりして、同居となるよう工夫ができる場合が多いようです。

つまり、ワーク・ライフ・バランスの点でも「大学は企業より魅力的」といえない要素が増えてきており、博士も企業を就職先に考えてもよいのではないかと思うのです。ただ、政府もさまざまな後押しの施策を出しているのですが、残念ながら博士の企業就職がそれほど増えてはいないのが現状です。

一方で、若手女性を支援する国や各大学の施策も、さまざまなものが進み始めています。また、所属する研究室の状況や自分の立ち位置によって柔軟に対応していく工夫も大切です。その時々で状況もいろいろ変化しますので、できるだけ無理なく続けていけるよう、情報収集を続けることも大切ですね。

さまざまなセクションで活躍できる企業の魅力

次に、企業で活躍した後、大学で研究をする先輩リケジョを紹介することにしましょう。男女雇用機会均等法より少し前に理系女性を採用し始めた企業では、もっとも年長の女性が今、60歳前後です。慶應義塾大学を卒業し、日立製作所の研究職をするなかで博士号を取得、長く勤めた後に大学へ職場を替えた、東京工業大学工学院教授の波多野睦子さんもそうです。大企業の研究者が大学の教員へ転身することは、男性の場合はしばしばみられますが、女性はそもそも数が圧倒的に少ないだけに貴重なモデルです。

日立製作所時代に、波多野さんは研究所内だけでなく、利益を生み出すビジネスを担当する

「事業部」とかかわる仕事も経験しています。また「主幹研究員」というスペシャリストと、命令系統が明確な組織の中で「ライン」と呼ばれる「マネージャー」、つまり管理職であるゼネラリストの両方を同時に担うこともありました。

同社が重点事業を、家電関連など消費者向けのコンシューマーエレクトロニクスから、鉄道や電力エネルギーといったインフラストラクチャー（社会的基盤）に移す変化の時期のこと。波多野さんは半導体やディスプレーの技術を、パワーエレクトロニクスや再生可能エネルギーシステム向けに転換して、インフラに活用するプロジェクトでリーダーを務めました。部下は70人、同じ企業であっても小型化を進めてきた家電エレクトロニクスと、重電と呼ばれる発電所や大型車両のシステムとでは、価値観や文化が違うものです。そんな環境下で「あなたの技術に、私の技術を融合できませんか」と社内の別の部署の研究者に投げかけて、新たなものを生み出す活動を展開しました。

こういった活動は「自分の技術にこだわる人は、あまり付き合いのない他分野の専門家と対話をするのが苦手なもの。けれどもこれからの時代は、自分の核となるものや得意な部分を生かしながら、社会の変化を先取りする積極的な人がより重要になってきます」という考えに支えられました。さらに「コミュニケーション力が全般的に高めであり、組織の垣根を超えるのが得意な女性は、この点で有利なのではないでしょうか」と女性としての強みも教えていただきました。

また、ディスプレー材料の開発で多忙だったころは、千葉県茂原市の工場と、東京都国分寺市の研究所に、1週間の半分ずつ通っていたそうです。業務のざっと5割が事業部の課題解決、3割が将来の事業に向けた案件、2割が基礎研究でした。事業部にかかわる仕事では、出荷を始めた製品で「トラブル発生、原因は不明！」となって急に呼び出されることがあります。工場の生産現場における不良品を減らす「生産管理」にかかわったりもします。研究とはだいぶ様子が違います。けれども波多野さんは「課題を解決することで『助かったよ、ありがとう』と喜んでもらえるのはやはり嬉しいことでした」と笑います。

自分の研究や技術の強みを基に、社会における課題を解決したり、新たなものを生み出したりしたい人はぜひ、博士でも（そうでなくても）企業への就職を選択肢に考えてみてください。政府も後押しの手立てを工夫し続けています。米国などでは大学と企業を行ったり来たりする高度人材が少なくなく、いつか日本もそうなっていくかもしれません。

7-2 公的研究機関の研究者

公的研究機関という選択肢

大学以外に理系研究者の職場としてあげられるものに、第４章でも触れた公的研究機関があります。そのなかでも国立の研究機関は「日本のために、日本を支える産業のために活動する」という意識が、大学より強く浸透しています。県立や市立であれば、県や市、それを支える地元の産業界や県民、市民のためという意識になります。

国立研究開発法人の物質・材料研究機構（物材機構、ＮＩＭＳ＝ニムス）の例をみてみましょう。物材機構は日本が産業としても強い材料科学の最先端で、化学や鉄鋼、半導体といった材料系に加え、材料を使う電気・電子、自動車などの各「業界」における企業と多く連携しています。

企業グループと組んで政府の資金による国の研究プロジェクトを進めたり、企業のお金による共同研究に取り組んだりするのに積極的です。さらに企業が活用できる材料物性のデータベースを構築したり、企業が求める性能での材料開発を請け負ったり、企業の実用化研究でうまくいかない原因を明らかにしたりする活動を、意欲的に行っています。機関を挙げての産学連携を理事長がリードするといった組織力は大学より強いと感じます。

現場では、グループリーダーとグループ員（グループメンバー）で活動します。建物や大型機器の骨格をつくる構造材料のうち、飛行機や発電機で使う、１０００℃を超える高温ガスに触れるタービンなどを扱う、超耐熱材料グループのリーダー、川岸京子さんに話を聞きました。

川岸さんが率いる研究グループの構成は、まず中心となる研究者と技術者が計5人ほど。国立の研究機関としての予算で、定年まで研究者として働く正規メンバーはこれくらいの人数です。対してプロジェクトの全メンバーとなると30人程度。これはプロジェクトの予算で雇用される、若手の任期付き研究者が多いためです。

国立研究開発法人の恵まれた環境

公的研究機関は大学と似ているところもありますが、違いは高等教育を担っているかどうかです。研究と社会貢献という役割はどちらも共通です。つまり学生を抱えているかどうかが、最大の違いです。

では研究活動における大学と違う強みは何でしょうか。それは研究の施設（建物）や設備（装置や機器など）が充実していることです。中でもトップクラスの研究成果を求められる「特定国立研究開発法人」には最高レベルの施設や設備がそろっています。これに相当するのは経済産業省系の産業技術総合研究所と、文部科学省系の理化学研究所、それに前述の物材機構の三つだけです。外部の見学者からは「これだけの設備が使えるなんて……」と感嘆されることが多いそうです。

大学では一般に、機器を共用するという文化があまりありません。研究者が個人で外部研究費を獲得してきて、その資金で装置を購入して、自分の研究室で使うというのが一般的です。組織ではなく人に依存しているのですね。研究には大勢の学生がかかわるため、人気の設備を使う時間が十分になく、割り当てによる限られた時間に合わせて実験をするという大変さも、時に見られます。

これに対して国立研究開発法人は組織力が強く、組織全体の予算で整備した高度な機器を適切に使っていく体制ができています。研究者を支援する技術職員などのスタッフも、大学と異なり充実しています。そのため新たに赴任してきた若手研究者や外国人研究者、子育て中の女性研究者などにとっても、安心して研究に携わることができる環境といえるでしょう。

一人でかかえこまず周囲も頼って

とはいえ、国立研究開発法人もいいところばかりではありません。

研究者というと伝統的には、一人でコツコツと、というイメージがありますよね。けれども近年はだいぶ様子が変わっています。予算や人員の規模が大きいプロジェクト型が増えているのです。物材機構のグループリーダーは、大学でいうと教授クラスにあたりますが、厳しいなと私が思うのは、数年間のプロジェクトの期間とともにその役目が終了するということです。

「現在の仕組みでは、次の新たなグループを構築したい場合、優秀な研究者に『私と一緒にやりませんか』と声をかけ、人を集めます。メンバーを含めた構成が固まらないと、プロジェクトの申請すらできません」と川岸さんは、その大変さを説明します。

川岸さんは自身の強みを、周囲の人と衝突しないことだと分析しています。伝統的には大勢を束ねるボスというのは、強いリーダーシップで皆の先頭に立ち、グループ員も「この人についていけば間違いない」とがんばるイメージがあります。ところが川岸さんは、自分はタイプが違うと言います。

「大きな資金と人員を動かすとなると多少、はったりでも『できます』と言い切らないと前に進まない面はあります。謙遜だけではやっていけません。ですが、私の場合は『大変だけどしようがない、みんな手伝ってね』という呼びかけに、周囲も見かねて手伝ってくれる、という感じがあります」と解説します。周囲の信頼は厚いけれど、まだ子育て中という川岸さんならではのコミュニケーションでもあるのでしょう。

ちなみに川岸さんはプレゼンテーションにも自信があるそうです。学会で知り合った企業の人に顔を覚えてもらい、親しい人を増やして共同研究などにつなげたり、研究所でどんな研究をしているかを一般の人に伝えたり。女性研究者として大いに参考になるモデルといえそうです。

女性を積極的に採用する組織も

物材機構は他の研究機関と比べて、早い時期から女性研究者の支援に取り組んできました。子育てで研究時間が十分に取れない女性研究者に、研究補助員を付ける費用を用意する制度を2006年に始め、現在は対象を男性研究者にも拡大しています。2013年には他の大学や公的研究機関に先駆けて、研究者採用の「女性枠」を創設したことで注目を集めました。

当初は「男性にとって不利な、逆差別ではないか」と心配する声がありました。が、この仕組みは「男女とも応募できる一般枠で、女性だけ加点をする」というものではありません。男女のバランスがあまりによくないので、その極端な差をなくしていくためにまず「とにかく女性を採ります」と宣言したことに意味があります。採用枠を別につくって、応募してきた女性の中から、一般枠と同じ基準で研究者の審査をするという仕組みです。

物材機構の前理事（人事担当）の長野裕子さんは、「女性枠を設けたことは、物材機構の積極姿勢を社会に伝えるうえで大きな効果がありました」と語ります。「女性を本気で後押ししてくれる機関だと知られて、一般枠においても女性の応募が増えたのです。これによって今にかけて、全体的に女性研究者を増やすことができました」とアピールします。何もしないでいたときよりも、優秀な女性が物材機構にぐっと引き寄せられるようになったのですから、これは組織運営として成功事例というわけです。

女性活躍支援のさまざまな策が、逆差別にならないかというコメントは、当初あちこちで聞かれました。「そもそも理工系の女性が少なくて候補がいないのだから、採用が増えないのはしかたがない」という意見も根強くありました。これに対して「個人の努力だとか資質だとかいって、大きな格差を放置している社会はおかしい。差を縮めるために、通常より積極的な策をとることが大事だ」という論理で行われる活動を、社会的格差の「積極的是正措置」(アファーマティブ・アクション)といいます。研究の場だけでなく企業の経営幹部や議会の議員もそうですし、男女だけでなく人種であったり年齢であったりと切り口は多彩です。多様な人をメンバーに迎えるために、少数派を人事で優先するという考え方です。

世界の先進的な国に次いで、日本社会でもこの措置は少しずつ増えています。女性枠の創設はできなくても、「採用候補者で同評価の男女がいる場合は、女性を採用する」という姿勢を公表している大学も増えて、ここ数年で大きく変わってきていると実感しています。

ちなみに長野さんも、修士まで生物学を学んだリケジョです。国家公務員として科学技術庁(現・文部科学省)に入り、日本の科学技術を広く支える仕事を選びました。研究機関の女性研究者支援や人事制度をよりよくするうえで、こんな理系女性が活躍しているというのは嬉しいことです。

時間の使い方を工夫できる利点

物材機構は他の研究機関と比べて、研究者の評価制度を綿密に設計し、実施しています。これもまた組織力の強さを物語る一つといえるでしょう。基準になるのは研究の成果として生み出される論文で、評価されている雑誌に論文が何本掲載されたかです。特許出願の数や、「外部資金」をどれだけ獲得したかも重要です。外部資金は、研究者がグループで提案した研究プロジェクトが、組織外部の政府や企業に認められてはじめて得られる研究資金です。グループ員のうち、各個人の貢献は何％とみられるかを勘案して、その人個人の外部資金獲得の金額を導きます。これらを組み合わせた計算式があるので、各研究者が達成した数字は客観的なものであり、定量的な評価となります。

これに上司による、定性的な評価が加わります。「縁の下の力持ち」のようなものも含めた組織への貢献度、グループ運営で果たした役割、物材機構の社会的評価を高める一般向けの講演会など広報活動といったもので、点数が出されます。例えば上司に嫌われているか、好かれているかで変わってしまうような、あいまいな評価ではないのです。組織構成員の皆が納得できる、そんな評価基準を確立することに、物材機構は力を割いてきました。

では、このきっちりとした評価は、子育てで大変な女性研究者にとって有利、それとも不利、どちらなのでしょうか？　研究者の女性は、一般に肯定的にとらえているようです。「研究に割く時間が少ないと論文も書けず、評価が下がるのはしようがないこと。数年たって時間ができれ

ば、集中的に取り組んで論文をまとめ、評価を上げることができるのだから」と。研究は単純作業ではないので、取り組んだ時間どおりに成果が出るものではありません。それでもプロであれば、論文などの明確な成果に向けた働き方を調整することが可能なのです。

また多くの研究者に適用される「裁量労働制」という雇用形態もこれを後押しします。これは「これくらいの成果を出します」という約束をし、それを達成するという前提で給与が決まる仕組みです。成果が出ないアンラッキーなときには、長時間働くことになりがちですが、うまく成果が出れば短時間で仕事を切り上げることも認められています。今日は子供のお迎えで仕事を早く切り上げても、パートナーが担当してくれる明日は遅くまで研究室にいる、といったことが可能です。創造的な仕事は、自らを管理しながら取り組むやり方が向いています。

企業の社員では、一日８時間など決まった時間での労働に対して賃金が支払われることがまだ多いので、裁量労働制の仕組みを知ると、働き方に対する考え方も幅が広がりますね。通常より高い自由度を持って、自分はどのような独創的なアイデアを出し、その研究を進めるのにどのくらいの時間を使い、一方でプライベートの役割をどんなふうにこなしながら、研究という仕事をやりとげていくか——。研究職はそれらを自分で決められる、自立した職業といっていいのかもしれません。

7-3 働く女性ならではの悩みとは

結婚の時期や姓はどう選ぶ？

今、60代の女性研究者には、大学院生時代に学生結婚をしていたり、20代半ばで出産していたりという人が、わりあいと多くみられます。結婚年齢も出産年齢も、今より早い時代でした。育児休業が制度としてなかったので、出産を機に仕事を辞める女性と、出産前後の休みだけ取ってすぐに職場に復帰する女性とに、分かれていた世代でもあります。

早く結婚し出産する場合のメリットは、若くて体力があるため、幼い子を抱えての仕事と家庭の両立が、大騒ぎしながらも可能なことでしょう。職場での評価が確立される前に、周囲に負担をかけることになりますが、早く子供の手が離れますので、そこから十分に仕事に邁進することができます。

逆に遅く結婚し出産する場合は、それまでに仕事の実績を固めて、気持ちに余裕を持って取り組むことができます。体力が若いときほどなく、親の介護もチラついてきますが、「余人をもって代えがたし」といわれる評価を先に獲得していれば、大人の知恵も活用して切り抜けられるでしょう。

結局、結婚や出産は、早くても遅くても、一長一短があります。「この人となら人生の大変さを一緒に乗り越えていけるだろう」と思う相手に出会ったときに決断するのが最良ではないでしょうか。

結婚後の姓をどうするかという問題もあります。戸籍上、妻が夫の姓に「改姓」しても、その「新姓」とは別に、社会活動をする上では「通称」として「旧姓」を使い続けることが、今は難しくありません。大学でも企業でも届けを出せば、人事・給与などの公式書類を除いて、通称で社内外の活動をすることができます。夫婦別姓が法的に認められていないことは、男女の平等性の点での問題が残るものの、現実問題として「通称使用による不便はさほどではない」と当事者である私もそう感じています。

ただ、改姓による「新姓」を全面的に使う選択をする場合は、ちょっと注意が必要です。まだ仕事の実績が上がっていない若いときには問題ありませんが、研究論文や特許、署名入り記事などの実績を積み始めているのなら、同じ姓を使い続けることをおすすめします。論文や書誌データの検索エンジンでは、同一の名前でないと見つけられないリスクもあります。別人だと思われたら、せっかく積み上げてきた仕事の成果が小さく見えてしまうため、とてももったいないのです。

以前は資格や身分証明の観点から、新姓に統一したほうがよいかと思う場面もありました。国際会議出席などで必要なパスポートは新姓、名刺は旧姓といったズレがあったためです。けれどもその状況も変わってきました。今はパスポートや運転免許証での旧姓併記が可能になっています。

それから新姓も旧姓も大事にしたい場合に、日本名ではかっこ書きを使って、また英語名ではハイフンを使ってミドルネームのようにして、新姓と旧姓を並べるケースがあります。取材先の大学の研究者の名刺や、論文の著者名で実際に目にします。ですがこれは、ややわかりにくいのが難点です。名刺を見て「何と呼べばよいのだろう」と相手を悩ませてしまうかもしれません。

それから夫婦別姓問題であまり出てこない切り口ですが、個人的にはとても重要だと思っている点を打ち明けましょうか。結婚後、数年で離婚したり、その後再婚するということはもはや珍しくありません。大恋愛で結ばれたカップルでも、何らかの事情で突然、パートナーを失うことも起こり得ます。ですからパートナーにかかわらず、通称として旧姓を使い続けているほうが、周囲にも余計な心配をかけずにすむかもしれません。

育児・家事負担の男女差は研究者でも

ここで女性研究者の問題を分野横断で取り上げ続けている、男女共同参画学協会連絡会の、新型コロナウイルス感染症についての「緊急事態宣言による在宅勤務中の科学者・技術者の実態調査」のアンケートを見てみましょう。同連絡会は医学系、歯学系を除く自然科学系約100の学協会に横串を刺す会で、学会員らが熱意を傾けて研究者男女の意識調査を定期的に実施し、政府の科学技術政策にも基本データを提供しています。2020年5~6月の、新型コロナでもっとも研究活動が制限されていた時期に、ウェブで呼びかけ1万人超という大変な数の回答を集めました。その数に、同連絡会のネットワークの強さが感じられるのですが、その結果を示します。

在宅勤務中の研究時間の確保やキャリア形成の不安など広く尋ねるなかで、「勤務上の支障」の回答が男女で異なることが一つの注目点でした。回答の選択肢8項目のうち、上位の「オンライン授業や遠隔授業の準備（が大変なこと）」などは、50%前後と男女の回答に差がありません。けれども「家事負担の増加」となると、女性は30・4％、男性は18・6％です。「育児（負担）の増加」は女性が25・5％で、男性は16・6％です。子育て世代の男女に限ると、負担増を感じている割合はもっとずっと高いはずですが、調査自体は全年齢を対象にしているのでこれくらいの結果になったのでしょう。いずれにしても男女の意識に、10ポイントほど違いがある結果となりました。

テレワーク勤務では実験やフィールド調査ができませんので、男女を問わず多くの研究者は、自宅での研究データの整理や論文執筆に活動を転換しました。ですが保育園や小学校が閉まってしまい、食事をはじめ日常生活のすべてが家庭に集約されたことで、「家事や育児の負担が女性により多くかかってきている」ということを調査結果は示しています。

夫婦とも研究者というカップルは、他の職業に比べて夫も妻も自立度が高い傾向にあります。それでもやはり他の職業と同様に、子育てや家事の負担では男女差の問題を抱えていることがわかりました。そういった問題は少なからず出てくるということを頭に入れておきましょう。

「無意識の偏見」を知っておく

今の時代に、かたくなに女性に対する差別意識を持つ人は、そう多くありません。偏見を持たずにものごとを考えよう、という人は確かに増えています。ところが自分では差別の気持ちはないつもりだったのに、いつのまにか偏った見方をしているという「無意識の偏見」（アンコンシャス・バイアス）というものがあります。相手のためになると思っての判断や行動が余計なおせっかいで、むしろマイナスになることもあるのです。

その一つとして、男性上司が「1泊2日の出張か。この仕事は育児中の女性には無理だろう。彼女が大変だから君、代わってあげなさい」と、男性に仕事を振り分けるケースを考えてみましょう。その仕事は、その女性にとって本当に大変なものだったのでしょうか？　もしかしたら本人が話を聞いたら「ぜひ、やらせてください！」と反応するものだったかもしれません。もちろん、「代わってもらって助かりました」と言うかもしれません。微妙なところです。

問題は本人に打診することなく、「育児中の女性には無理」と決めつけることです。特定の考えに偏り、他の考えがあることをとくに意識せずにいた。これがアンコンシャス・バイアスです。出張のエピソードは、実際に当事者のワーキングマザーから聞いた事例です。

また人材育成の切り口でいうと、「社会人として成長しつつある今の年齢でこそ、これを経験してほしい。君ならできると思う」と指導する上司が、優れているのかもしれません。ただそれを聞いて、やる気を奮い立たせるか、「やりたくないのに……」と不満を持つかも当事者次第であり、判断が難しいことは確かです。

5年ほど前に私が取材した、大企業の理系女性役員らは、「リーダーになるには『修羅場』体験が欠かせない」「挑戦から遠ざける余計な配慮は、本人の成長のチャンスを奪うことになる」「異動を含む仕事の幅を広げる機会を、積極的に女性に与えることが必要だ」と一見、厳しく見える意見をそれぞれ口にしました。いずれも社会に出たのは男女雇用機会均等法の施行前、職場環境が整わないなかで子育ての苦労を乗り越えて、高い社会的地位に就いた人たちです。進歩的な大企業の中でも、本当に最初の女性役員と位置づけられる世代でした。そのため平均的な人よりも、女性の人材育成に意欲的なのでしょう。こういった先輩方の気概が、社会を変えてきてくれたのかもしれません。

アンコンシャス・バイアスという言葉はやや難しいですが、人材の多様性(ダイバーシティ)に敏感な人の間ではよく使われるようになっています。年長女性が男性陣に「それはアンコンシャス・バイアスですよ」と指摘する場面がしばしば出てきています。あわせてまた、若い女性や中堅女性には、「一方的な判断をしないで、当事者の私たちにまず、意見を聞いてください」と、周囲に伝えるコミュニケーションを意識してほしいと思います。

若いリケジョの皆さんは、こういったシチュエーションをイメージできるでしょうか。自分はどういうタイプか、無意識の偏見にはどう対処できるかな、と想像をふくらませながら、将来を考えてみてください。

第8章 企業や大学トップの理系女性と、これからのリケジョ

理系の大学を出て、理系の職について活躍し、大学や企業のトップクラスの役職まで上り詰める――そんな憧れの先輩理系女性も増えています。ここでは、そういう社会で大活躍する女性の話を紹介します。トップなんて私とは関係ないと決めつけずに読んでみてください。そこにはトップを目指す人だけでなく、あらゆる理系女性にとって、努力の仕方や、人とうまくやっていく工夫や、プライベートも上手にまわしていく柔軟さといった、参考になる生き方が見えてくると思います。

トップにいる女性といっても、性格的にいかにも強気な部分だけではなく、やさしい部分もあわせもっている人が多く、またとても穏やかな人もいます。いろいろなタイプの方がいるなかで、みなさん人生の悩みにも直面しながら、進んできたわけです。そんな女性たちの歩みには、真似したくなる姿勢や気構えもあることでしょう。そして将来に悩むリケジョにきっと力をくれることでしょう。

8-1 企業の先輩理系女性たち

企業で理系女性の役員はどれくらい、いるのか

大企業には理系女性で役員や部長など上位の役職についている人は、いったいどの程度の割合でいるのでしょうか。昨今、女性役員が続々と誕生していますが、文系が優勢です。理系もいるのですが、どうもまとまっては見えてきません。理系女性役員という切り口の調査はおそらく他にはないとにらんで、筆者は日刊工業新聞社が毎夏実施している「研究開発（Ｒ＆Ｄ）アンケート」（１０２ページ参照）にこの項目を入れてみました。

まず女性リーダーの実際の存在を把握するため、「研究職または技術職から実現した最も高い女性の上級職のクラスは何ですか」と問いかけました。その結果、有効回答２１７社のうち上位から順に「役員クラス」が18・４％、「部長級」が45・６％、「課長級」は25・８％、「主任級」

は6%。「上級職はいない」は4・2%でした。

この結果を見てどう感じるでしょうか？　女性の少ない理系でありながら、役員クラスが2割弱の企業にいるという結果は、私には予想以上。大変な驚きでした。今の自然科学系の学生の女性比率は、学部で3割ほど、大学院修士で2割ほど。役員になる上の年代はこれらよりずっと少ないはずです。となると、同世代の男性における役員輩出率よりも高いのではないでしょうか。部長級は約半分の企業にいるのです。一部上場などの大手企業は、日本の企業が女性活躍の点でも世界で見劣りしないよう、想像以上の積極姿勢で登用を進めているといえそうです。

業種別でみると、役員クラスが多いのは「総合電機・重電」で7社中3社、「精密機器、事務機」で12社中5社などです。機械系はいまも女子学生比率が低い分野なのですが、総合電機は男女雇用機会均等法前からの女性研究者の採用実績などが多い分野です。また「化学」は25社中4社、「医薬・トイレタリー」が24社中8社。「ビール・食品」になると6社中3社で半数に上ります。全社的に、また理系でも比較的女性が多い業種において、理系女性役員が育っているといえそうです。

自由筆記で「活躍推進の工夫」をあげてもらいました。全体としては、文系理系を問わない女性の後押し策が多くみられました。理系女性に限った採用時の具体策は「技術系中心の女性社員からなる採用プロジェクト」「技術系女性特化の採用セミナー」などで、インターンシップ（就業体験）や育成基金もみられました。

現在、在籍する社員に対しては「女性エンジニア限定交流会」「研究開発女性管理職のメンタリング」による応援のほか、「外部表彰の応募積極化」「社外の女性研究者支援」など自社の広報戦略と重ねるといった例もみられました。ただ、「女性研究者と技術系役員の懇談会」といった突っ込んだ活動は限定的で、「性別にかかわらず」「男女の区別なく」といった記述も目立ちました。どんなふうに積極的に動くかという点は、企業によってだいぶ差があるようです。

この結果を企業や大学で上位職を務める何人かの女性に示して、意見を聞きました。「見かけ上、より高い数値になっているのでは」「実際はこれほどではないのでは」という声も、ちらほらありました。例えば部長といえども率いる組織の大きさはさまざまです。部下が１００人超であればパワーがあり存在感が大きいのですが、部下は数人というケースもあります。

実は部下を持たない「担当部長」という肩書もあります。アンケートに回答したのは社会的注目度の高い一流企業ばかりですので、もしかしたら「とにかく女性部長を増やそう」とやっきになって工夫した結果、部下なし部長が増えているのかもしれません。就職先を思案する学生などにしてみれば、部長待遇を受けている理系女性がいる企業のほうが、そうでない企業より安心で励みになり、志望先の候補にする可能性が高まることでしょう。

また最近は「女性役員を増やすことを優先する結果、社内からの登用ではなく、外部組織で実績を挙げた社外取締役を迎える」ということも増えています。文系女性で目に付きますが、理系女性にもチャンスが回ってきています。東北大学で初めて女性の理系分野の教授になった工学系の栗原和枝さんは、定年退職後も外部資金獲得によって研究室を運営し続け、教授職を務めるパワフルな人です。浜松ホトニクスの社外取締役にも就任したというすばらしい話をうかがいました。社内で人材が育つのに時間がかかるのであれば、社外から先達を招くというケースもあるわけです。

私が調査を企画したのは、1986年の男女雇用機会均等法の施行前後に新卒で入社した「均等法第1世代」が50代半ばで、続々と役員に就任していることが念頭にありました。自分が同世代ということもあります。企業の上位職に就くには一般に、専門や職種の転換を受け入れて経験を広げる必要があります。けれども多くの女性は20～30代で公私が激しく揺れ動き、キャリアの危機に直面しがちです。今の役員らはどのように解決してきたのでしょうか。次の項から業種の異なる3社3人の事例を通して、そこに迫ってみます。

社内結婚、子育てしながらステップアップ

大日本印刷初の女性役員、宮間三奈子さんは、上智大学大学院理工学研究科で機械工学の修士課程修了後、均等法施行の1986年に同社に入社しました。2年目に社内結婚、やがて出産と

ライフイベントが続きました。

まだ育児休業制度が整備されていない時代で、研究者の業務を続けることは大変だと同社は判断したようで、仕事が研究管理に変わりました。仕事が続けやすい形で、結果的にはよかったと、今は宮間さんも振り返りますが、当時は不服だったそうです。そのため、研究開発職に復帰したいという希望をアピールし続けました。そのころにはやり始めていた「感性工学に当社も取り組むべきだ」というリポートを繰り返し提出し、組織がするべき取り組みに重ねて本人の異動の希望を実現させたのです。

研究開発の仕事で深掘りした技術テーマは、住宅のショールームで使う画像イメージシミュレーションのシステムでした。キッチンや浴室の機器を組み合わせたときの色や材質、サイズなどのイメージを高精細な映像で示す仕組みです。一生活者としての自身のニーズがきっかけで、実用化できたとのこと。現在同社が手掛けているバーチャルリアリティ（VR）事業には別の技術が使われているとはいえ、研究成果を実用化できたということは、企業研究者冥利に尽きることでしょう。

手塩にかけて育ててきた技術を社会に届けたいと考えた宮間さんは、再び異動の希望を出して、企画開発部門へ移り、そこで管理職になりました。「『こういうのを待っていたよ』とお客さまに言われて、提案が受注につながる喜びを味わうことができました」と振り返ります。開発した製品を社会に提供する、実践的な仕事への思い入れが人一倍な宮間さんは、一方で納期や売り上げ目標に迫られたり、部下の育成に迷ったり、密度の濃い時間を過ごされたようです。

40代になると、女性管理職としてもう一段、ジャンプアップしたいと思うようになります。当時、漠然とした不安があったと打ち明けます。同世代の男性は多数の兼務を持つのに、自身の任務は一つだけ……。通常の男性の人材育成と異なる部分に気づき、意識的に社外機関の研修に参加。他業種の女性部長らと接し、視野を全社に広げるなどリーダーシップのポイントを身につけたことが功を奏したようです。執行役員クラス約30人中の紅一点として就任しました。

夫君が同期入社でしたので、互いの職場についての理解はスムーズだったとか。思春期の子供を抱えているときに夫君が単身赴任するなど、困難を乗り越えなくてはいけない時期もあり、一緒に戦った同志でもありました。一方で宮間さんの仕事の愚痴には、同業者ならではの厳しい意見を返すときもあり、社内の男性の見方を知る意味でプラスになったようです。残念ながら宮間さんの役員就任前に逝去されましたが、旺盛な好奇心で活躍の場をさらに広げつつある宮間さんを、きっと天国で見守っていることでしょう。

納得できるまでとことん聞く

理系出身でも専門を離れて技術系ゼネラリスト（スペシャリストに対して、総合職として幅広く活躍する人材）になる例は、インフラストラクチャー（いわゆるインフラと言われる生活基盤となる施設やエネルギーなど）にかかわる業界などで少なくありません。東京ガス初の生え抜き女性役員、鳴谷（しぎたに）あゆみさんもその一人です。東京ガスの常務執行役員で、ＩＴ系子会社の社長を務めています。

均等法施行2年後の１９８８年に東京工業大学の修士を修了して東京ガスに入社、均等法1期生という扱いでした。同社は大卒社員の半分以上が理系出身ですが、研究職に加え技術営業や企画など活躍のフィールドが広いのが特徴です。経営工学を学んだ鳴谷さんは、社員の出勤などの管理システムの開発プロジェクトを皮切りに、会社人生の大半でプロジェクトマネジメントにかかわってきました。

私がびっくりしたのは、鳴谷さんが、キャリアのなかで辛かった時期が特にないと語ったことです。代々の上司は「均等法1期生をつぶしてはいけない」との思いか、次々と挑戦させてくれて、自分は目の前の課題をこなし続けてきただけ、と当時を振り返ります。同じような課題を背負ったり厳しい環境に置かれたりしても、辛く感じる人と、そうではないタフな人がいるものですが、鳴谷さんはそのタフなタイプということなのでしょう。

転機は40代半ばの販売チャンネルの再編のときでした。お客さまとの窓口となる関係会社「東京ガスライフバル」を整備するプロジェクトに加わりました。それまでの社内のバックオフィス

向けとは違う、お客さま第一の営業向けのものでした。現場で一から教わり、いい経験になったとのことです。

鳴谷さんは新しいミッションなどに取り組むときは、納得するまで相手に質問し、自分ゴト化して動くタイプだそうです。「上司など相手には嫌がられますが、仕事の目的を自分の言葉に置き換えて理解することは欠かせません。納得すれば全力で取り組めますし、失敗したら謝るだけのことです。納得しないままやらされている状態では逃げたくなるし、失敗も人のせいにしてしまいます」とその理由を説明します。言われるままに動くのではなく「何のために、何をするのか」と基本構想を考えて取り組むといった、リーダーとして必要な姿勢も、このように考え動くことで身についたそうです。

正直なところ鳴谷さんはとても個性的な人です。東京ガスのような安全第一の保守的な企業よりも、ＩＴベンチャーなどのほうが特質を生かせるのではないかと、個人的には思っていました。ですが話を聞いて、組織に個性的な人材をおもしろがる余裕があったために、うまくはまったのではないかと想像します。また、「私の仕事がいいかげんだと、女性の後輩が困るだろう」という均等法1期生の意識は持っていたそうです。律儀なところもあって、そのバランスのよさが能力として、うまく花開いたのではないかと思っています。

自分がうまく「はまる」職場かどうか、それはなかなか読めないところではあります。ただ、その企業で実際に活躍している女性から見えてくるものもあるので、興味のある企業のトップのインタビューなどに目を通すのも一つの手です。

思うようにならない子育て中こそ自分を鍛える

さて、次に取り上げるのは化粧品会社のコーセーです。同社はリケジョの人気も高く、取締役のなかにも理系女性がいます。情報統括部門を管掌する執行役員の小椋敦子（おぐらあつこ）さんもリケジョの一人です。お茶の水女子大学の理学部化学科を卒業後、同社に入社しました。筆者とは大学の同級生で、研究室も有機化学で一緒だった仲間なのです。

小椋さんは入社2年目に研究員から一転、化粧品新ブランドの立ち上げに加わる部署に異動しました。研究者とは別の能力が高いことを当時の上司らも読んでいたのかもしれません。

出産後には、研究所のITチームに異動しました。勤務中、体調を崩した子供のお迎えに来るようにと保育園からの呼び出しが頻繁にあり、育児休業法施行前の世の中全般がそうでしたが、仕事は重要度の低い、期限のないものに限られました。仕事のやりがいが乏しく苦しいところでしたが、「自らの力で変えられないことを、悩んでいても仕方がない。仕事がないなら自分でつくる」というのが小椋さんの前向きなところです。

研究日程の管理や化粧品成分の表示関係など、急ぎではないが役立つシステムを自ら考えて、開発に取り組みました。また、周囲の活動に興味を持って、自分だったらどう判断するかと考え、実際の結果と比較するといった訓練も密かに始めました。これは今も習慣になっているといいますから、若いころの行動は重要であると感じます。

ITについては食わず嫌いだったとか。やってみると、非効率なものを次々に変えていくITシステム関連の業務は性に合っていたそうです。小椋さんはその後、全社の業務改革のシステム開発・導入プロジェクトにかかわり、キャリアを固めていきました。

先の東京ガスの鴫谷さんにしろ、小椋さんにしろ、IT担当役員は理系女性がはまりやすいのかもしれません。伝統的な各事業部や工場の責任者は、男性が代々務めてきました。が、ITのような新しい部署は少数派を登用しても、やっかむ男性が少ないのでなにかとスムーズなのでは

ないかと、私は踏んでいます。
女性のなかには、責任ある立場になりたくない、という人も少なくありません。けれども小椋さんは、管理職になりたいと強く思っていたそうです。
「管理職は、周りを巻き込みながら自ら決断して進めていく立場です。重責ではありますが、やりがいがあります。『できる』と『やりたい』の重なりを広げるために、キャリアと経験を積み、チャレンジしてほしいです」と持論を述べます。
ちなみに小椋さんは学生時代、私よりもずっと頻繁に具合を悪くしていて、同級生の間で心配したものです。役員就任のお祝いの席などで、学生時代を思い出して皆、「あの敦子がねえ〜」と、感慨深く思いました。体力がついたのは、研究所への通勤の自転車に子供を乗せて駆け回っていたのが主因だとか。いつのまにかたくましくなっていたというのですから、「私はこうだから」と決めつけないようにすることもまた、重要なのですね。

理系的な論理的思考が役立つ

ところで理系女性自体がまれな時代に日本IBM専務まで上り詰めた、ジャパン・ウィメンズ・イノベイティブ・ネットワーク（J-Win、ジェイウィン）の理事長、内永ゆか子さんをご存知でしょうか。1971年に東京大学の理学部を卒業して、日本IBMで活躍した後に、ベネッセホールディングスで副社長、ベルリッツコーポレーションで会長兼社長兼CEO（最高経営責任者）も務めましたから、まさにプロの経営者です。

日本IBMを卒業したのをきっかけに、女性活躍推進を支援するNPO（非営利団体）法人J-Winを設立し、理事長を務めてはや十数年。J-Winは、会員企業の管理職の一歩手前のポジション、部課長職、役員以上と3層別の研修を手がけ、2020年度の在籍メンバーは600人ほどになりました。

内永さんは理系女性役員増に向けて、技術系の講座も主宰しています。いつもおしゃれをばっちり決めた70代、私も取材時や冊子で見かけるその装いを楽しみにしています。「理系女性を素敵だなと社会に思ってもらいたいから、当事者には化粧やファッションに積極的になってほしい」と言ってまわるあたりも、内永さんならではは、です。

内永さんは、グローバル社会のリーダーを考えるとき、理系（技術系）は文系（事務系）より活躍の可能性が高いのではないかと言っています。国も文化も価値観も違う多様な人が集まる場で、理系の学びで鍛えられる「論理」だけが共通のもの、コモンランゲージだからです。内永さんが学んだ物理学では現象がすべてで、必要なのは現象を説明する正しい論理です。きちんとした組織運営には、「著名なあの人がこう言っているから」などといった、あいまいな印象論は不適切です。リーダーは論理的思考に基づいて、全体像を把握し、業務の流れなどを「見える化」して、多様な人々をまとめ上げる存在でなくてはいけないとみています。

そんな内永さんも、日本ＩＢＭで管理職の初心者だったときには、組織の中で空回りをしたのだそうです。課長就任からまもなく、男性ばかりの会議の場で張り切って手を挙げ、「その意見に反対です。理由は……」と論理的に意見を出していました。ところがいつも、司会者は「うーん。じゃ、次」と話を進めていき、「女性だから無視されているのだろうか」と悩んだというのです。そこで周囲をじっくり観察してみると、自らの意見より前に相手の提案をほめるといった枕詞のようなものを入れてから意見を言っていることに気づいたのです。それを真似たうえで発言するように変えたら、「その意見もいいね。会議録にきちんと記録しておいてよ」という反応が得られるようになりました。そうして状況が好転し始めたのだそうです。

上の役職になってからも、論理の正しさを第一とする理系女性の内永さんはつい、ズバズバと本質をついた発言をしてしまい、反省することが多かったとか。周りに優秀な男性部下が付くようになってからは「あのやり方はよくありませんよ」と、いさめられることがあったという話は、印象的でした。「立場（地位）が人をつくる」という言葉がありますが、立場が上になればそれにふさわしい形に周囲が誘導してくれることもあるわけです。

今、内永さんが各企業の間で高めようとしているのは、「オールド・ボーイズ・ネットワーク」に対する認識です。これは伝統的な男性社会で築かれた、組織の仕事のやり方や作法などのルール、それを共有する組織内のネットワークを指します。男性陣のあうんの呼吸など、女性にはすぐには理解できないものが、古い組織にはごろごろと転がっていて、これが女性活躍推進の壁になっているのだと説明します。米国ＩＢＭなどでは前々からいわれていたことなのだそうですが、日本は女性活躍推進が遅れていたので、ようやくこの問題を持ち出せるようになったという状況です。

どうやって女性がフラットにかかわれるようにするか、という解決法はまだ明らかではありませんが、まずは日本企業には男性間だけの暗黙知が山ほどあり、それが女性の活躍を阻んでいるのだということに、組織が気付くことが大切だと強調します。多様化の時代には性別だけでなく、国籍や年代などの違う人でも理解できる形のコミュニケーションが重要です。そのため世界的なビジネスを手掛ける企業こそ、こういったことを意識して変わっていく必要があると、内永さんは産業界の理解を高めるべく発言を続けています。

8-2 ベンチャー企業という選択肢

ライフサイエンスはＩＴとともに、産業界においてベンチャービジネス（ＶＢ）の活躍が目立つ分野です。ＩＴ系のビジネスはちょっとしたアイデア次第というケースもあるのですが、ライフサイエンス系は最先端技術による研究開発型ＶＢがほとんどです。そのため研究者がＶＢ経営に携わることが少なくありません。理系女性も時々、見かけます。成功の確率は低くリスクは高いのですが、成功したときには大きな資金が手に入る可能性がある「ハイリスク・ハイリターン」型という傾向があり、挑戦的で夢のある世界といえるでしょう。

大学の技術を基にして生まれたＶＢである「大学発ＶＢ」の株式会社セルシードは、東京女子医科大学における発明を基に、再生医療の事業を手掛けています。セルシードの社長、橋本せつ子さんのキャリアは、60代後半の今に至るまで、なかなかユニークなものです。順に追っていきましょう。

出産も博士も海外で一気に！

橋本さんは、九州大学理学部生物学科を卒業後、同大学院へ進みました。大学院理学研究科の修士課程の途中で学生結婚し、ポスドクの夫の海外赴任に合わせて米国とドイツで計6年間過ごしました。この間を活用して2人の子供を出産、ドイツのハイデルベルク大学で大学院の博士課程を修了、ドイツの大手化学会社ヘキスト（当時）の日本法人であるヘキストジャパン（当時）へ入社、とめまぐるしく進みました。九州大学の修士は米国に行ってから修了と、当時としては変則的なものでした。

ヘキストジャパンは日独の2企業が資本金を出した合弁企業ですが、日本の伝統的な女性観も根強く残る、社員2000人を超える大企業でした。そのころは企業の役員は、男性でも理系出身者が少なく、橋本さんは「理系かつ女性で、今のままでは実験助手で終わってしまう」と考え、キャリアの転換に踏み切りました。

転職先はスウェーデン系のファルマシアバイオテク（当時）です。研究試薬を販売する会社で、ヘキストジャパンのような研究開発企業より、一段下のイメージがあるため周囲は驚いたそうです。けれどもサイエンスの知識を生かしたマーケティングは橋本さんに合っていたようです。

さらにその後、グループの技術ベンチャー、ビアコア（当時）に移籍しました。顧客は新規技術に敏感な研究者で、「この技術をあなたの研究にこんなふうに応用すると、新たな発展ができますよ」と持ちかけます。こういったマーケティングは、文系出身者にできるものではありません。自身が博士号を持つ研究者ですから、相手も専門家同士とみて話に乗ってくるわけです。そして顧客の研究が成功すれば論文となり、それが橋本さんの次のセールスツール（営業の材料）になります。顧客の悩みや抗議（クレーム）も、次のビジネスのヒントになりました。

女性ならではの思い切りのよさを生かして

橋本さんは、業績好調で同社が買収されたのを機に、再び大学院に入りました。今度は研究型の大学院ではなく、技術を経営にどう生かすかという技術経営（ＭＯＴ）系です。社会人向けの「専門職大学院」である、北陸先端科学技術大学院大学に籍を置きました。そこで、経験してきた最先端技術のビジネスを社会科学的な手法で分析して、修士論文にまとめ上げました。その後、スウェーデン大使館の投資部主席投資官となり、ノーベル医学生理学賞の選考委員が置かれるスウェーデンのカロリンスカ医科大学と東京女子医科大学を共同研究で結びつける仕事をしました。そして東京女子医大の研究者、セルシード創業者とつながりが深まり、社長にと声をかけられたのです。

実は同社はその少し前に、株式市場に上場していたのですが、経営不振に陥っていました。経営を立て直すキーパーソンとして、白羽の矢が立ったというわけです。橋本さんは日本と外国をまたいで転職を重ねましたが、どの組織でも未経験の活動の展開を担当し、「科学者が会社を経営する事例を増やしたい」「日本発の技術を世界に紹介したい」と思っていたそうです。そのためセルシードの立て直しで呼ばれたとき、周囲は失敗のリスクを心配しましたが、「やってみたい」という自分の心の声を信じて踏み切ったのだそうです。

それから10年弱。上場企業だけに社会からの厳しい批判にもさらされます。「怖さに立ち向かう勇気が必要です」と橋本さんは強調します。MOTの学生のときには、仕事をしていないため、預金残高がみるみる減っていく恐怖も味わったそうです。ですが、「あれこれ経験してみればいずれも、なんとかなると自信がつきます」と笑います。

「風呂の湯がぬるくなったら、冷めないうちに外へ飛び出さなくてはいけない」というたとえ話があります。「しまった、ぬるくなってきた」と思ったときに思い切って外へ出て、別の温かい風呂を探すのが理想です。けれども往々にして、「困ったなあ、どうしよう」と風呂に浸かったまま迷っているうちに、湯はすっかり冷めて、風邪をひいてしまうというたとえです。

橋本さんはこれを引き合いに出して、「日本の大手企業の男性は、頭で考えるばかりで動けず、冷めていく風呂の中に居続けてしまうことも多いのです」と指摘します。大手企業の給与水準やステイタス（社会的地位）などにこだわって、所属する企業や業界のビジネスが傾いたり、自身のキャリア構築で新たな転換をしなくてはいけなかったりするときに、一歩を踏み出せないというのです。

女性は失うものが少ない場合も多いから、思い切って飛び出せる場合が多く、それが強みになることもある、と言います。「やってみると恐れていたほどのことではないとわかりますよ」。挑戦し続ける人は、経験を重ねるにつれて確固たる自信を築き上げていくのです。

大学組織をまとめる理系女性の姿

大学トップの理系女性の活躍

それでは次に、大学の学長という組織トップの理系女性の話をいたしましょう。

新聞やテレビなどメディアの記者も多く傍聴している、大学関係の大きな会議の席でのことです。大学改革の議論の中盤で、その会議の会長の政府に対する態度が甘い、と会員大学の学長がかみついてきました。「大学の運営費交付金削減に対する抗議を、もっとガンガンやってほしい」という主張です。それに対して会長は「もちろん、言い続けている。しかしそれだけでは国は動かない。（官庁や企業側有識者などは）『また交付金削減に対するクレームか。もっと他に何か言ってみろ』という（呆れて冷たい視線をよこすだけの）反応だ。それに……」と応戦しました。

そこから火の手が上がり、両者の間で激しい口論になりました。メディアが傍聴席に入っていることを知っていてのことですが、私もこんな経験は初めてでした。途中、幹部を務める別の大学の学長が「あの～」と2回、口を挟みましたが、ぴしっと「却下」されるだけという状態でした。弁が立つタイプの方なのですが、その場ではどうも力が発揮できないようでした。

そこへ、別の幹部の大学長が「ちょっと、よろしいでしょうか」と声をかけました。するとどうでしょう、両者の掛け合いが止まったではありませんか。「会長はいろいろな場面で心を砕いてくれていますよ。例えば……」と、具体例を挙げて会長を援護射撃することで、場は一気に静かになったのです。

男性学長がくんずほぐれつになっている中に入っていったのは、第5章3節で登場した、お茶の水女子大学学長（当時）の室伏きみ子さんでした。常に落ち着いて穏やかな人です。男性ばかりで殺気立っているところに、女性が柔らかく入ってきたことで、雰囲気ががらっと変わって収まったのです。これは理系の特性を活用したわけではありませんが、男性ばかりの中で萎縮することなく振る舞える女性の、鮮やかな存在感であり、私はすっかり参ってしまったのでした。

言うべきことは言う姿勢

女性の学長はここ数年で急に、数が増えてきました。

前項とは別の理系女性学長で親しくなった人がいます。週刊誌に似たメディアにおいて、たいした話ではないのに重大な不祥事のようにあおった、その大学についての記事を目にしていたことがあります。私は、「どうも学長を快く思わない勢力が、特定メディアを呼んで記事を書かせたのだな」と推測していました。

それには触れないままのおしゃべりのなかで、学長がはっきりとした言い方で、大学運営についての問題を批判的に口にしました。私が「学長、けっこう厳しいことをおっしゃいますね」と応じたところ、「言うべきことは、言わなくてはいけないのです」と返ってきました。それを聞いて私は理解しました。反対勢力がいるのは、筋をきっちりと通す学長だからこそなのだと。組織を率いる立場の人は、そんなことを恐れていてはいけないのだと。

別の理工系の女性教授とおしゃべりしていたときにも、同様のことがありました。女性教授は言いました。「私、会議で言っちゃいました。それは大きな問題ですよ、放っておいては大変ですよって」と。そう、こちらの先生も、言うべきことは言うという態度を貫いているのです。

どうやら理系女性は、本当のところを見抜いて、ずばりと指摘する特性があるように感じます。先に取り上げたJ－Win理事長の内永ゆか子さんもそうでした。もっともストレートな物言いがよいときと、悪いときがあるのですが……。一昔前の組織であれば、そういった存在は無視されたり、つぶされたりしていました。女性は黙っているしかない場合も少なくありませんでした。

けれども、今は政府は主導的な立場における女性比率として3割を掲げており、実際に官庁の会議体であればかなりの数の女性委員が見受けられるようになっています。そんななかで「言うべきことは言う」、この姿勢は頼もしいものです。強い気持ちがあるリケジョは、ぜひ古い体質を打ち破るトップクラスのリーダーを目指してみてください。

第III部

2人の教授が
現在・未来の
理系女性を語る

第9章 対談・本当に好きなものを探しながら柔軟な生き方を

第Ⅰ部、第Ⅱ部とさまざまなリケジョの生き方を紹介してきましたが、最後の第Ⅲ部では、第Ⅰ部で半生を語っていただいた大隅典子さん、大島まりさんに直接顔を合わせて対談を実施、リケジョを語っていただきました（2020年10月10日、講談社にて。聞き手：山本佳世子）。リーダーとして社会を引っ張っていく先輩リケジョとしてのお話、ご意見は、理系女性の今を深く理解するうえで有効な手立てとなるでしょう。お二人とも若いリケジョを育成する活動にも取り組まれていて、この第Ⅲ部から、21世紀の理系女性のあるべき姿が見えてくるのではないでしょうか。

なお、苗字が似ているお二人なので、発言者名をファーストネームで記しています。

2020年ノーベル化学賞は理系女性に

──まずは2020年のノーベル化学賞の話題からまいりましょう。ゲノム編集技術の開発で、米国カリフォルニア大学バークレー校教授のジェニファー・ダウドナ博士と、ドイツのマックス・プランク感染生物学研究所所長のエマニュエル・シャルパンティエ博士が受賞しました。ライフサイエンス分野のエポックを画する注目の科学技術だったこと、世に出てきて10年もたたないうちの受賞であること、そして受賞者が共同研究を行った2人の50代の女性ということなどが、注目されました。大隅典子先生も大島まり先生も、受賞者と面識があるそうですね。

大隅典子さん(以下、典子・敬称略) このお二人のゲノム編集の技術は、日本のノーベル賞ともいわれる日本国際賞を2017年に受賞しました。その授賞式の際に来日されたので、日本の研究者も彼女らと直接触れることができ、人柄も知るチャンスに恵まれました。私はそのときの日本国際賞の定義文、つまりどのような理由で受賞となったかを記す文章の起草にかかわりました。

予想より早いノーベル賞受賞、それも医学生理学賞ではなくて化学賞というのも驚きでしたが、嬉しいことには変わりがありません。ダウドナ先生は2018年にも日本へいらっしゃる機会があったので、東北大学にもお越しいただいてシンポジウムを開催しました。ゲノム編集はさまざまな研究をがらりと変えてしまうもので、さらに実用化される段階になれば社会へ大きな影響を与える科学技術です。聴講した学生らにも大きな刺激を与えてくれました。

大島まりさん（以下、まり・敬称略） 私はその日本国際賞の授賞式で司会をするという栄誉にあずかりました。女性2人が力を合わせて開拓したものですから、専門分野は異なりますが、個人的にもとても励みになりました。両先生は私のことを覚えていらっしゃらないと思いますが、ひととときでも接することができてよかったです。

私は工学の研究者ですから、研究の成果が社会に実際に利用される、生かされることを意識して、日々研究の活動をしています。ノーベル賞を受賞した業績が、社会に貢献するようになるなんて、こんな素敵なことはないと憧れます。

典子 新型コロナウイルス感染症の拡大で暗い話題が多いなかで、一気に明るい気持ちになりました。大学も前期はオンライン授業だけで学生は苦しかったのですが、ちょうど後期が始まって一部、対面授業が始まるなど、動き出したところでした。それだけに「研究活動をがんばろう」と奮い立った学生が少なくないでしょう。

まり 実は私の名前は、2度のノーベル賞受賞者でもあるマリー・キュリーから父が名付けてくれたのです。父も科学者でしたから。ちょっと恐れ多い気もしますが、気概だけは持っていなくては、って思っています。今回の受賞者にちなんで、今年から来年に生まれた女の子には、ジェニファー、エマといった名前が多く付けられるかもしれませんね。

——この共同研究は、国際会議におけるダウドナ博士の研究発表を、シャルパンティエ博士が聞いて興味を持ったことで、始まったのだとうかがいました。そのようにして研究が広がることは一般的なのですか。

典子　学会は自身の研究成果を公に広く情報発信する場ですが、新たな研究のパートナーと知り合う場としても重要です。新型コロナで浸透したオンラインでの学会開催が今後は進みそうで、これはよい点と悪い点が予想されますね。幼い子供がいるなど家庭の事情を抱えた研究者にとってはプラスである一方、フェイス・トゥ・フェイスで新たな相手と知り合って動き出す出会いが難しくなる点はマイナスであり心配です。実際、リアルな場で発表を聞いて、ランチなどで交流し、「このテーマで、この人と一緒にやれるかもしれない」と思って、共同研究を始めるということは

少なくありません。ノーベル賞のお二人のように、素晴らしいコラボレーションが生まれる可能性が高まるという面があると思います。

まり それから共通の知人を通じて、研究者同士が新たに知り合うことも多いように思います。私たち二人の場合は、医工学、バイオメカニクスを専門とする東北大学の名誉教授が仲介役になってくれましたよね。専門は同じではないけれど、近い部分もあるのでとてもよい距離感です。自分が知らなかった有意義な書籍を教えてもらったり、思わぬ切り口で考察のヒントを与えてもらったりと、よい関係を築けています。

典子 理系女性を後押しする場や、そこでのキーパーソンを介して顔を合わすことも多いですよね。いろいろな場があるけれど、女性が少ないことでかえって、つながりやすい面がありますね。

まり 研究以外にも、世界にはすばらしい女性の博士人材がいますよ。ドイツのメルケル首相です。物理学者で博士号もお持ちです。活躍している女性を目の当たりにすると本当、勇気づけられますよね。

テレワークも味方にして、男性の意識を変えていく

――今回の対談直前に決まったノーベル賞からお話に入りましたが、２０２０年といえば新型コロナウイルス感染症の拡大による社会変化が外せません。デジタル技術を活用した働き方改革が、なだれを打って進み始めています。研究者においても大きな影響が予想されますが、まずは近年の子育て世代の研究者の状況について、ご説明いただけますか。

典子　若手研究者の研究環境の大変さは、近年の大きな課題です。企業ではなくて大学や公的研究機関の研究者のキャリアを選んだ場合、「幼い子供がいても、研究者カップルは所属機関が離れているため別居する」というケースが、決して珍しくありません。

理系の理論系研究者は、よく「紙と鉛筆があればいい」と言いました。今ならもちろんパソコンでしょうけれど、この場合は転居しても研究を続けやすいです。でも実験系の研究者の場合、実験設備が使える環境にいることが、絶対条件です。パートナーとの同居を優先し、それまでの所属を捨ててしまうと研究は続けられない。だから夫婦はとりあえず別居するか、同居できる近隣の研究機関で、二人の職を探していくことになります。

私の時代はまだ大学教員は定年制の雇用がほとんどで、私も助手になったときに「これで将来を心配せずに、研究をやり続けることができる」とほっとしました。でも私の10歳ほど下の世代、今の40代からは、5年などの任期で雇用契約を結ぶ博士研究員（ポストドクター＝ポスドク）や、同様に任期制の助教といった教員職が、急増しました。

これは米国などにならった日本政府の施策です。若手研究者が任期ごとに所属する研究機関を替えることで、刺激し合って優れた研究ができるようにという狙いでした。ですが日本社会では、雇用の習慣や研究予算などさまざまな要因から、狙い通りには進みませんでした。いつまでも定年制雇用にたどり着けない、職の不安定さが大きな問題になっています。

まり　若手が任期制の雇用から定年制の雇用に切り替える機会を得るためには、集中して研究成果を出すことが求められています。その時期がちょうど出産や子育てとも重なりがちなのですから、若手の女性研究者にとって大きな試練になります。

典子　従来の女性支援は「男性の長時間労働を標準として、それに合わせられるよう子育て中などの女性を支援する」というスタンスでした。例えばここ15年ほどの大学向けの国の施策は、子育て女性の手が回らない部分では、研究補助員を雇って進めてもらう、といった形でした。

ですが政府の資金による活動は、予算の付いた数年間は強力な後押しになっても、予算の期間

が終了したらそれでおしまい、また元通りとなりがちです。このやり方では女性の活躍を長きにわたって推進する手立てにはなりません。お金のかかる支援策は続かない。その意味で私がもっとも大事で、しかも有効だと思うのは「男性の意識改革」です。

まり　同感です。女性側に注目した施策に偏るのではなく、家事や育児が担えるよう男性の働き方も変えることが、重要だと思います。ですが、組織の意思決定権を持つ保守的な年長の男性教員らに、理解されにくいのが悩ましいところです。

――そこに、新型コロナが出現したわけですね。テレワークつまり遠隔勤務の実施を機に、男女も年代も問わない、組織全体の働き方改革が進み始めた……。

典子　新型コロナで外出自粛となり、自宅からコンピューターのネットワークを通じて、勤務先のシステムにアクセスして仕事をする体験を、多くの人が初めて経験しました。一挙に浸透したテレワーク。これが大きなゲームチェンジをもたらすと確信しています。テレワークであれば、男性も自宅で仕事をしながら家事も育児も手掛けることが、以前よりずっと容易になるのですから。

まり　「テレワーク、やってみたら予想を超えて有効に使えるね」という感触が、研究者でも大勢を占めています。オンラインの授業もそうですし、教職員間での打ち合わせもそうです。国内外の学会だってオンライン実施が一般的になれば、遠隔地に出向く時間や予算を使わずに参加できるのですから、大変意味のあることです。

典子　今までは、職場のボスが夜遅くまでいるから、気兼ねしてずるずると研究室に残っていた。物事を決めたり、その根回しをしたりするのに、時間外の飲み会の場も活用されていた。そういった非公式の場に女性は声をかけられにくく、ましてや子育て中の女性はそういう機会があるとわかっていても参加できず、弾き飛ばされていたわけです。それがこれからは皆がテレワークを組み込んだ働き方を予定して、帰宅時刻も前倒し、飲み会はごくたまにと変わってきます。それがニューノーマルです。これまでと状況が大きく変化し、定着してくることは間違いありません。

まり　出産・育児の支援をはじめとして、社会的な制度や、政府や大学・公的研究機関の支援施策は、ずいぶん進んできました。そのうえで新型コロナ対応を機に大きな流れが出てきたのですから、期待できると思います。

典子　女性研究者の活躍のしやすさは10年程度のスパンで、飛躍的によくなってきました。私が大学院を受けるとき、「女性研究者は業績が男性の2倍で同等とみなされる。その覚悟をしておきなさい」と言われました。所属の歯学部の学部女子比率が1割のころでした。この話を私の10

歳年上の女性研究者に話すと「私は3倍と言われた。さらに上の女性は、5倍と言われたわよ」と返されました。そういう時代にがんばってきた先輩方を思うと「弱音を吐いてなんていられない」という気になります。

子育て中の個々の女性は、まずは家庭内でパートナーの意識を上手に変えていくことが、自らの役割だと認識してくださいね。妻が賢くかつ優しく、夫を育てていかなくちゃ。実際、若い世代では男性でも、家事や育児の分業意識を持った人が相当増えてきていると、周囲を見ていて実感します。大丈夫ですよ。そして年長世代の男性を含めた社会全体の意識を変える、それは私たちがんばるところです。

――理系の研究現場では、教授職などで「女性ゼロを解消する」目標を掲げるところが目立ちます。それをクリアした環境で、次の指針は何になるのでしょうか。

まり　質ももちろん大事ですが、数も大事です。人数をある程度まで、意識的に増やしていく必要があります。集団の中で、何かを一人で主張しても「あなただけの考えでしょう」と跳ね返されてしまう。声が小さくて、かき消されてしまいます。でも10人で声を上げるとなれば、「多くの女性が思っているのか」と感じてもらえますから。そして現場から当事者が声を上げる「ボトムアップ」とともに、組織のリーダーが現状を変えようと旗を振る「トップダウン」も、というように両面から進めていくことが必要です。

典子　女性の数、比率を高めることは重要です。今、上位職における女性の活躍でいわれる目安は「3割」です。意思決定をする教授会や、役員会議などで、女性を3割にもっていきたいところです。例えば10人の会議で女性が私一人だと、「女性はどうでしょうね？」と振られても、「私がすべての女性を代表しているわけではないのに」と思ってしまう。10人のうち女性が2人で、意見が違うと「あの2人は仲が悪いのかな」なんて余計な詮索(せんさく)をされてしまう。でも3人いれば違います。「これについては女性3人が同意見か」「あの問題については意見が分かれるんだな」と、正しく理解してもらうことができるのですよ。

まり　男性だっていろいろでしょう？　女性だって同じなんだって、自然に理解してもらいたい。人数も比率も増やすことで、それが改善されると思います。

――女性研究者の数や比率は、分野によってかなり違いますね。典子先生のライフサイエンスは近年、急進展した分野なのに対し、まり先生の機械工学は近代日本の発展に貢献してきた伝統的な分野で、女性の比率も含めて対照的です。

典子　私のかかわるライフサイエンスをはじめ、新興分野は女性が活躍しやすいと感じます。似た領域でも、古くからある日本生化学会よりも、バイオテクノロジーの進展によって急激に大きくなった日本分子生物学会のほうが、女性会員は多いです。学問や組織など確固としたものが築かれているところに比べて、先行きどうなるかわからない新興分野は、女性や外国人など少数派も入っていきやすい傾向があると思います。産業界などどの世界でも同じでしょう。

まり　若い人なら変化に強いですから、子育てなどハンディがあったとしても、まだ動き始めたばかりの新興分野の世界で伸びていく余地は大いにあるのではないでしょうか。一方で、工学は技術や知識の「継承」が確かに大切です。最先端の手法を取り入れる研究に目が向きがちですが、製造現場の匠の技など、土台となるものをしっかりと伝承していく教育も、産業界から求められるのです。

高度な技を持つマイスターと呼ばれるような男性から、若い女性が現場で指導を受ける機会を目にすると、うまくいくだろうかと心配になることがあります。お互いに関心を持って取り組めばうまくいくときもある。反発しあってうまくいかないときもある……。時代がこれだけ変わってきているので、保守的な男性も「昔のままではいられないのだな」という意識は皆、持っていると思いますから、過度に心配しないで挑戦してみることも大事だと思います。

理系学生の今

――女性教員として男女の学生を見て、また男性教員との違いなど、いかがでしょうか。

まり　私の研究室は工学系ということもあって女子学生が少なくて、中国人の女子が1人いるだけなので、あまり比較はできないかもしれませんが……。時々感じるのは、注意を受けたときなどの男子学生の反応が、男性教員からと女性教員からとで違うのではないかということです。(女性教員から注意されて)むうっとしたり、ちょっと感情的に反応したりするのを見て、「こういう振る舞いを、男性教員相手であればしないのではないか」と思うことがあります。

女性から厳しいことを言われた経験があまりない学生もいるのかもしれません。コミュニケーションを円滑にするのは大事なので、時間をかけてお互いに意思疎通できるように心がけています。

典子　ライフサイエンス系は女子学生が多いので、だいぶ様子が違います。私の研究室もここ数年は、女子のほうが男子より多いくらい。私との関係性においての男女差は、あまり感じませんね。まあ男性的な振る舞いや行動を好む男子は、マッチョな男性教員の研究室を選ぶから、ということもあるでしょう。

まり　機械工学の分野に進んでくる女子は、少ないけれど、みんな元気ですね。はきはきしていて、何かを企画するにも率先して行動しています。東大生研（東京大学生産技術研究所）での理科教育、ONG（次世代育成オフィス）の活動でも、中学生までは「積極性に男女差はない」と感じるのですが、高校生になると女子の積極性が目立ちます。皆の前で口火を切るのはたいてい女子。この点は、私たちが子供のころとはずいぶん違うなあと振り返ります。

典子　学生時代はくったくがなくて元気なのに、社会人になってから苦しくなる場面が出てくる。それは仕方ないことなのですけれどね。大学は教育の場として、普通の社会より男女を同等に扱う意識があります。ところが社会に出て子供をもったら、急に「家庭運営は女性の責任」などと押し付けられて、ショックを受けてしまう。これまでと違う理不尽さに直面しての悩み、苦労が出てくる。そこで負けないでがんばれる強さが重要になってきます。

まり　親の期待が男子に重く掛かりがちなのに比べると、女子は自由度が高いのではないでしょうか。一方で、その自由さが悪く作用してしまうと、悩んだときすぐにあきらめたりしてしまう。表裏一体であるので、なかなか難しいですね。

――中高生リケジョが将来を想像するとき、医歯薬系の資格職以外は、「大学の研究者」のイメージに集中しています。大学人は研究者という一個人として社会に発信する側面があるので、企業人に比べてメディアに取り上げられやすいのが理由だと思うのですが、偏っていないでしょうか。

まり　確かにそうですね。博士課程まで進学して学位を取ったら、多くの方が大学や公的研究機関の研究者になって、大型の競争的資金を獲得する道を目指すという状況を、疑問に思うことはあります。

文部科学省の支援事業「卓越大学院プログラム」では、博士課程の学生が企業で数ヵ月の本格的なインターンシップ（就業体験）などを経験することで、博士号を取得した後のさまざまなキャリアパスの可能性を考える機会を提供しています。

博士号を取って企業で活躍する、という道はグローバルな視点でも大事だと思いますが、いまだに日本では「博士人材は専門性が高すぎて、活用しにくい」との声が分野によっては強くて、悩ましいです。

典子 一般の人には、教授につながる教員のキャリアパス以外は、あまり思い浮かばないかもしれません。

まり 日本でもようやく定着してきた研究支援の専門職、大学のリサーチ・アドミニストレーター（URA）など、もっと広がってもいいと思います。研究資金獲得の申請書の執筆を手伝ってもらったり、社会に研究成果をアピールするための広報戦略のヒントをもらったりするのに、博士号を持った、専門性の高い知識と経験を持ったURAがいれば、サポートいただけるので心強いです。特に若い研究者はあれもこれも一人でこなさなくてはいけなくて、本当に余裕がないんです。

典子 東北大のサイエンス・エンジェルの活動をする女子大学院生が言うには、やはり女子高校生は、「将来はこんな感じだと具体的にイメージできるロールモデルが、身近にいない」という点に不安を感じるようですね。だから「大学院生の自分が、女子高生のモデルになるんだ」とはっきり意識してくれています。つまりリケジョの進路支援では、「まずは研究者というモデルを知ってもらうことから」という面があるのです。

まり でも、今回この書籍は執筆者も編集者も、理系出身女性ですね。企業の研究者や技術者という進路を含めて、活躍がより広い領域に広がっていってほしいです。一方でそれらを目に見える形にするために私たち大学人がもっとアピールしていく意識を、持つ必要がありそうです。

典子　女性は抽象的な事柄よりも、自らのこととして実感できる事柄にかかわることを好む、という傾向があるでしょう。他の人に共感できる環境で働くことに生きがいを感じます。今、文系理系の壁が以前ほど確固たるものでなくなってきています。だから伝統的な研究者、技術者以外のところでの多様な職種や業種での理系人材の活躍を、女性はとくに推進してくれるのではないかと期待しています。

AIと理系女性の未来

——これからの社会と未来についてお話しください。例えば「人工知能（AI）が仕事を奪う」といったメッセージは、一般の人にとても脅威をもってとらえられています。

典子　そうですね、やっぱり機械やコンピューターに置き換えられないもの、真・善・美といった感性にかかわる部分は大事だなと思います。ＡＩは画像から人の目で見つけられないものを探し出したり、人が判断しきれない環境で最適なものを選んだりすることには優れています。だけど価値観は持っていない。ＡＩは対象物の美しさに感動しません。人間が本当に大事にすべきこと、やってはいけないことの判断ができない。それに加えて、一つの解をＡＩなどから導くのではなくて、多様な人々が意見を出し合って、議論するなかで解を見出していくことが、社会では重要なのです。

まり ＡＩは確かに優れています。私も研究で使っていますが、今後はツールの一つとして、私たちの日常に浸透していくのではないでしょうか。一方でＡＩは、トップクラスの人の能力を超えることはないのではないかと思います。

おそらくこれからは、ＡＩに向いている、パターン化できる業務では、代替が進む可能性が高いと思います。高収入の専門職でも、うかうかしていられないでしょう。一方で、たとえば分別などの、人間の細かい判断を必要とする、ＡＩが得意でない職業はやっぱり人手に頼るしかないのかもしれません。

さらに、危ないのは、学ぶ材料となるデータに対する依存度が大変高いことです。例えば書籍やＳＮＳなどで差別的な意識が潜んだ文章を、データとして学ぶと、ＡＩは差別主義的な判断をするようになってしまうのです。

――とても興味深いです。そういう関心を、理系であってももっていいな

いといけない、という例として、参考になります。

まり　結局、コスト・ベネフィットの尺度で測ることのできない、感性や人間力などの領域が大事となり、今後私たちはこのような面を追求していくことが大切になると思います。高得点を取るための勉強法や、多くの論文を書くためのテクニックなどの力を磨いても、効率でいったらAIに勝てないのですから。

これまで工学系に長くいて、「技術が一番大事だ」と思って研究を進めてきました。最近、知識を身につけて使いこなすだけでなく、やはり人間力といいますか、「相手が何を思っているのか」を受け止めて、反映させていくことが大事だなあと感じます。

シミュレーションをやっていて、はっと気づくと現実社会とかけ離れた、とんでもないケタ数の数値が間違って導かれていたりするんですよ。だから私たちが住んでいる現実空間の感覚を失ってはいけないと思います。シミュレーションやAIを活用することや、コンピューターによるバーチャルの世界が発展しても、現実空間のリアルな現象を理解することはとても大事です。現実と仮想の両方の空間感覚をバランスよくもっていかなくてはいけないんだなと、よく思います。

――それでは最後に一言、理系女性にもっとも伝えたいところをまとめてください。

典子　進路に迷うかもしれないけれど、迷いながらも自分に合った道を見つけるために学んでいるんだ、と思ってください。中学校、高校でも、大学でもそうです。表面を眺めているだけでは、自分は何が本当に好きなのか、わからないまま。でも勉強だけでなく、いろいろなことを一生懸命に取り組むなかから、本当に目指したいものが浮かび上がってきます。そして「好き」という気持ちが芽生えたら、それを大切にして、続けていってください。リケジョの未来は私たちが、しっかり応援しますから！

まり　周りに決められたり、なんとなく作ってしまったりという枠に、自らをはめないでと伝えたいです。女性の場合はどうしても、子育てや介護など、周囲の期待もあって自分だけでは解決できない環境要因が増えがちです。それらを乗り越えないといけないときもあります。でもそれは一生続くものではないので、柔軟に変化しながら、しなやかにポジティブに生きていきましょう。

【あとがき】

人生には辛いときと幸せなときが、繰り返しやってきます。「辛」と「幸」と2つの漢字はよく似ていて、表裏一体の関係だといえるかもしれません。5年ほど前から政府による女性活躍推進の気運が盛り上がってきましたが、私個人は更年期とキャリアの危機が重なって、自分のことで精一杯なのが実情でした。そしてようやく山場を越えて落ち着いたころ、持ち上がってきたのが、本書の企画でした。

私のキャリアは、その時代に生まれた女性で、理系だから築けたものです。同じ理系女性でも、男社会で一人、歯を食いしばってきた人が多いお姉さん方（先輩女性）と、育児休業をとりながら同性ライバルと競うようになってきた妹たち（後輩女性）の間に位置しています。記者歴30年、専門を維持してこられたために、これらの理系女性の素顔を人より多く見知っています。「理系女性の本を書くことは、今の私が果たすべき役割かもしれない」。取材や執筆を進めるなかで、そう思えることは幸せでした。

この講談社のブルーバックスシリーズには、自然科学系の研究内容を扱ったものに加え、研究者のキャリアを取り上げたものもあります。本書は後者の仲間入りをし、理系女性に焦点をあてた一冊となります。シリーズの中ではやや個性的な形態を認めていただいたことを、編集部と、たくさんの助言をしてくれた「一応リケジョ（本人談）の同世代」の担当編集者、須藤寿美子さんに感謝したく思います。

本書で紹介した理系女性や機関は、２０２０年の状況を基本に取り上げています。中心となる大隅典子さん、大島まりさんには、じっくり時間をかけてインタビューをし、私が文章にまとめました。そのお二人を中心に、さまざまな理系女性を紹介していますが、筆者の思い入れが少し過剰になったかと気になります。ただ、中高生リケジョでも会社役員でも、読者はそれぞれの今の立場に重ねることができるよう、時代によらない普遍的な切り口を盛り込むようにしました。また、筆者が56歳の現在までに出会った多くの理系女性を振り返りながらでもあります。読者には未来のキャリアの夢を描いたり、過去を振り返ったりする時々に、またページをめくってもらえれば本当に嬉しいことです。

神様は私に、子供ではなくそれと似たものを生み出す役割を、授けてくれたのかもしれません。仕上げた書籍に対する気持ちは、子供に対するものと同じだと想像します。一冊一冊が愛おしい。賢くて、魅力的で、優しくて、世の中の役に立つ存在になってほしい。その期待をのせ、幸せな思いとともに、本書を皆様の手元に送り出してまいります。

２０２１年４月

山本佳世子

参考文献

『理系の女の生き方ガイド　女性研究者に学ぶ自己実現法』宇野賀津子、坂東昌子（講談社ブルーバックス、2000年）

『企業研究者のための人生設計ガイド　進学・留学・就職から自己啓発・転職・リストラ対策まで』鎌谷朝之（講談社ブルーバックス、2020年）

『Rikejob（リケジョブ）前編　理系女子のお仕事、考えよう』（講談社）

『理系女性のライフプラン　あんな生き方・こんな生き方 研究・結婚・子育て みんなどうしてる？』丸山美帆子、長濱祐美（編）、大隅典子（アドバイザー）（メディカル・サイエンス・インターナショナル、2018年）

『女子校という選択』おおたとしまさ（日経プレミアシリーズ、2012年）

『なぜ女は男のように自信をもてないのか』キャティー・ケイ、クレア・シップマン（共著）、田坂苑子（訳）（CCCメディアハウス、2015年）

『ビジネス・ゲーム 誰も教えてくれなかった女性の働き方』ベティ・L・ハラガン（著）、福沢恵子、水野谷悦子（共訳）（光文社知恵の森文庫、2009年）

『女性の知らない7つのルール　男たちのビジネス社会で賢く生きる法』エイドリアン・メンデル（著）、坂野尚子（訳）（ダイヤモンド社、1997年）

『研究費が増やせるメディア活用術』山本佳世子（丸善出版、2012年）

『理系のための就活ガイド　業界研究・エントリーシート・面接対策』山本佳世子（丸善出版、2014年）

著者紹介

大隅典子（おおすみ・のりこ）
東北大学副学長。東北大学大学院医学系研究科教授。
1960年生まれ。1985年東京医科歯科大学歯学部卒業。1989年同大学院歯学研究科博士課程修了（歯学博士）、同年同大顎口腔総合研究施設助手。1996年国立精神・神経センター神経研究所室長。1998年東北大学大学院医学系研究科教授、2002年同附属創生応用医学研究センター教授。2006年同大総長特別補佐。2008〜2010年同大ディスティングイッシュトプロフェッサー（卓越教授）の称号付与。2018年より現職。専門は神経発生学、分子神経科学。著書に『脳からみた自閉症』（講談社ブルーバックス）、『脳の誕生』（ちくま新書）ほか多数。

大島まり（おおしま・まり）
東京大学大学院情報学環・生産技術研究所教授。
1962年生まれ。1984年筑波大学第三学群基礎工学類卒業。1986年東京大学大学院工学系研究科修士課程修了。1992年同博士課程修了、博士（工学）。同年より東京大学生産技術研究所助手。2005年より現職。また、2006年より東京大学大学院情報学環教授を併任。2014年より国立高等専門学校機構理事。2017年日本機械学会会長。2018年より豊田中央研究所社外取締役。専門はバイオ・マイクロ流体工学。

山本佳世子（やまもと・かよこ）
日刊工業新聞社論説委員、編集局科学技術部編集委員。東京工業大学、電気通信大学非常勤講師。
1964年生まれ。1988年お茶の水女子大学理学部卒業、1990年東京工業大学大学院修士課程修了（工学修士）。日刊工業新聞社入社、記者として科学技術（化学、バイオ）、業界ビジネス（化学、飲料）、文部科学行政、大学・産学連携を担当。仕事と並行して2011年東京農工大学大学院博士課程修了、博士（学術）。産学連携学会業績賞受賞（2011年度）。文部科学省科学技術・学術審議会臨時委員。著書に『研究費が増やせるメディア活用術』『理系のための就活ガイド』（以上、丸善出版）。

ら行

わ行

た行

な行

は行

ま行

や行

さくいん

アルファベット

あ行

か行

さ行

N.D.C.407　260p　18cm

ブルーバックス　B-2170

理系女性の人生設計ガイド
自分を生かす仕事と生き方

2021年5月20日　第1刷発行

著者　大隅典子　大島まり　山本佳世子
発行者　鈴木章一
発行所　株式会社講談社
〒112-8001　東京都文京区音羽2-12-21
電話　出版　03-5395-3524
販売　03-5395-4415
業務　03-5395-3615
印刷所　（本文印刷）株式会社新藤慶昌堂
（カバー表紙印刷）信毎書籍印刷株式会社
製本所　株式会社国宝社

定価はカバーに表示してあります。

ISBN978－4－06－523181－4

発刊のことば

科学をあなたのポケットに

二十世紀最大の特色は、それが科学時代であるということです。科学は日に日に進歩を続け、止まるところを知りません。ひと昔前の夢物語もどんどん現実化しており、今やわれわれの生活のすべてが、科学によってゆり動かされているといっても過言ではないでしょう。

そのような背景を考えれば、学者や学生はもちろん、産業人も、セールスマンも、ジャーナリストも、家庭の主婦も、みんなが科学を知らなければ、時代の流れに逆らうことになるでしょう。

ブルーバックス発刊の意義と必然性はそこにあります。このシリーズは、読む人に科学的に物を考える習慣と、科学的に物を見る目を養っていただくことを最大の目標にしています。そのためには、単に原理や法則の解説に終始するのではなくて、政治や経済など、社会科学や人文科学にも関連させて、広い視野から問題を追究していきます。科学はむずかしいという先入観を改める表現と構成、それも類書にないブルーバックスの特色であると信じます。

一九六三年九月　野間省一

ブルーバックス　趣味・実用関係書

1676 図解　橋の科学　土木学会関西支部＝編　田中輝彦／渡邊英一他
1688 武術「奥義」の科学　吉福康郎
1695 ジムに通う前に読む本　桜井静香
1696 ジェット・エンジンの仕組み　吉中　司
1707 「交渉力」を強くする　藤沢晃治
1725 魚の行動習性を利用する釣り入門　川村軍蔵
1753 理系のためのクラウド知的生産術　堀　正岳
1773 「判断力」を強くする　藤沢晃治
1783 知識ゼロからのExcelビジネスデータ分析入門　住中光夫
1791 卒論執筆のためのWord活用術　田中幸夫
1793 論理が伝わる　世界標準の「書く技術」　倉島保美
1796 「魅せる声」のつくり方　篠原さなえ
1813 研究発表のためのスライドデザイン　宮野公樹
1817 東京鉄道遺産　小野田　滋
1835 ネットオーディオ入門　山之内　正
1837 理系のためのExcelグラフ入門　金丸隆志
1847 論理が伝わる　世界標準の「プレゼン術」　倉島保美
1858 プロに学ぶデジタルカメラ「ネイチャー」写真術　水口博也
1863 新幹線50年の技術史　曽根　悟
1864 科学検定公式問題集　5・6級　桑子　研／竹内　薫＝監修　竹田淳一郎
1868 基準値のからくり　村上道夫／永井孝志　小野恭子／岸本充生
1877 山に登る前に読む本　能勢　博
1882 「ネイティブ発音」科学的上達法　藤田佳信
1886 関西鉄道遺産　小野田　滋
1895 「育つ土」を作る家庭菜園の科学　木嶋利男
1900 科学検定公式問題集　3・4級　桑子　研／竹内　薫＝監修　竹田淳一郎
1904 デジタル・アーカイブの最前線　時実象一
1910 研究を深める5つの問い　宮野公樹
1914 論理が伝わる　世界標準の「議論の技術」　倉島保美
1915 理系のための英語最重要「キー動詞」43　原田豊太郎
1919 「説得力」を強くする　藤沢晃治
1920 理系のための研究ルールガイド　坪田一男
1926 SNSって面白いの？　草野真一
1934 世界で生きぬく理系のための英文メール術　吉形一樹
1938 門田先生の3Dプリンタ入門　門田和雄
1947 50ヵ国語習得法　新名美次
1948 すごい家電　西田宗千佳
1951 研究者としてうまくやっていくには　長谷川修司
1958 理系のための法律入門　第2版　井野邊　陽
1959 図解　燃料電池自動車のメカニズム　川辺謙一
1965 理系のための論理が伝わる文章術　成清弘和
1966 サッカー上達の科学　村松尚登

ブルーバックス　趣味・実用関係書